**ASSOCIATION
CANADIENNE
DE YACHTING**

**DEREK WULFF
KAREN MORCH**

Initiation à la planche à voile

**Traduit de l'anglais
par
Chantal Lemieux**

LES ÉDITIONS DE L'HOMME *

CANADA: 955, rue Amherst, Montréal H2L 3K4

*Division de Sogides Ltée

Couverture
- Conception graphique:
  ANNE BÉRUBÉ
- Photo:
  PHOTOGRAPHIE QUATRE PAR CINQ INC,
  RON DAHLQUIST

Maquette intérieure
- Conception graphique:
  JOHANNS GRAPHICS LTD
- Illustrations:
  VALERIE WHITE

Révision technique
Bernard Junquet

Édition originale: Basic Boardsailing Skills
Canadian Yachting Association
ISBN: 0-920232-06-X

©1984, CYA

©1987 LES ÉDITIONS DE L'HOMME
DIVISION DE SOGIDES LTÉE,
pour la traduction française

Bibliothèque nationale du Québec
Dépôt légal — 2ᵉ trimestre 1987

ISBN 2-7619-0682-9

Condition physique Canada a prêté son concours à cette production	Produced with the assistance of **Fitness Canada**
Gouvernement du Canada Condition physique et Sport amateur	**Government of Canada** **Fitness and Amateur Sport**

Association canadienne de yachting
333 River Road, Ottawa, Ontario

Ce manuel a été conçu à l'intention de ceux qui veulent apprendre seul les rudiments de la planche à voile ou compléter un cours d'initiation.

D'approche simple, directe et humoristique, l'ouvrage traite de tous les aspects de ce sport, en insistant sur la sécurité.

Voici une brève description du contenu de chaque chapitre.

Glossaire

Cette partie sert d'ouvrage de référence pour apprendre le nom des différentes parties d'une planche à voile et contient les termes techniques indispensables à la compréhension de la matière, dont les plus importants sont suivis d'un astérisque, pour en faciliter le repérage.

Chapitre 1

Ce chapitre donne un aperçu notamment du fonctionnement et de la conduite d'une planche à voile. On y explique en outre le pourquoi et le comment du virement de bord et de l'empannage.

Chapitre 2

Ce chapitre explique toutes les étapes de la première sortie, depuis la préparation de la planche jusqu'aux techniques de navigation.

Chapitre 3

La sécurité en planche à voile
Bien qu'il ne soit pas indispensable à votre apprentissage technique, nous vous recommandons cependant de lire attentivement ce chapitre avant d'effectuer votre première sortie. La sécurité, c'est important!

Chapitre 4

Perfectionnement des techniques et approfondissement des connaissances
Ce chapitre contient des conseils sur le perfectionnement technique pour affronter les vents forts, en plus d'expliquer quelques notions théoriques et des règles de route.

Chapitre 5

Organisation de la planche à voile au Canada
Ce chapitre traite de l'organisation et de la gestion de la planche à voile au Canada, et indique où l'on peut pratiquer ce sport.

Chapitre 6

Normes de compétence de l'ACY
Ce chapitre traite de la planche à voile de loisir et de compétition. Il définit, en outre, les normes de compétence des niveaux 1 et 2 du programme «Initiation à la planche à voile».

Préface

Ce livre est le premier d'une série dont l'Association canadien. de yachting se servira dans le cadre de son programme «Initia. tion à la planche à voile». Il contient la matière nécessaire à l'acquisition des niveaux 1 et 2, depuis les notions de base en voile jusqu'au perfectionnement des techniques de navigation Ce manuel, combiné à des exercices pratiques, fera de vous u· véliplanchiste capable de naviguer par des vents de petite · moyenne intensité.

Remerciements

Ce livre ne serait pas ce qu'il est sans la précieuse collaboration du «Comité Planche à Voile» de l'ACY, de Lawrence Wulff, de Sandy et John Morch ainsi que de Michael Tawton. Je tiens à remercier plus particulièrement la dessinatrice Valerie White de sa patience. Toutes mes excuses, Val.

Derek Wulff

Le programme «Initiation à la Planche à Voile»

Nous avons remarqué que si les Canadiens manifestaient un grand intérêt pour la planche à voile, il en allait tout autrement de leur participation active et ce, en dépit de l'accessibilité de nos nombreux plans d'eau navigables. Les raisons : le manque de formation et de sécurité. C'est pour répondre à ces besoins que l'ACY a créé le programme «Initiation à la planche à voile».

Le programme national définit des exigences pour les instructeurs ainsi que des normes de compétence pour les élèves. Un comité de révision, institué par l'ACY, est chargé de juger la qualité des enseignants et d'uniformiser les examens d'un océan à l'autre.

Nous espérons que «Initiation à la planche à voile» fera plus que vous enseigner des techniques et des connaissances sur la voile et vous donnera le goût de faire de la compétition ou simplement de naviguer pour le plaisir.

Niveaux de compétence du programme

Niveau 1: Anatomie et fonctionnement de la planche à voile. Notions de sécurité; règles de route. Théorie élémentaire et pratique de la voile.

Niveau 2: Approfondissement des connaissances de base: sécurité, terminologie, théorie, manipulation de la voile, matelotage. Niveau pratique: apprendre à naviguer sans risques par un vent de force 3, c'est-à-dire de 10 à 12 noeuds.

Compétition: Théorie et technique de la régate. (À paraître.)

Style libre: Programme de niveaux élémentaire et avancé. Théorie et technique du style libre de plaisance et de compétition. (À paraître.)

De plus, en guise d'encouragement, l'ACY offre des diplômes et des écussons aux instructeurs reconnus, aux clubs nautiques ou à tout organisme qui en fait la demande.

Si vous voulez avoir des informations supplémentaires sur le programme ou obtenir d'autres exemplaires de ce manuel, vous pouvez vous adresser à:

Association canadienne de yachting
333, Chemin River
Ottawa (Ontario)
K1L 8H9
tél: 613-748-5687
ou à la Fédération de voile de votre province.

Glossaire

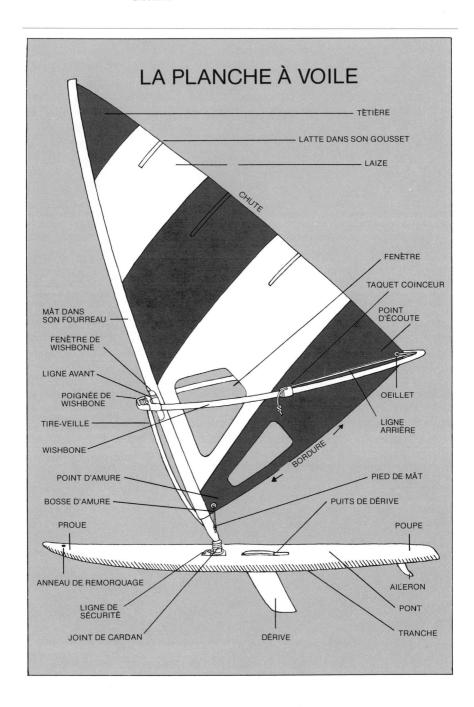

LA PLANCHE À VOILE

Glossaire

Anatomie de la planche

Quand on commence à faire de la planche à voile, il est normal de ne pas connaître tous les termes techniques, d'où ce glossaire qui décrit les différentes parties d'une planche. Étant donné qu'il existe une grande variété de modèles de planches, il arrive que des pièces de même nom soient complètement différentes d'une embarcation à l'autre. C'est pourquoi, si vous éprouvez des difficultés à identifier une partie, demandez-vous d'abord à quoi elle sert, en prenant bien soin de regarder la planche à l'endroit, puis consultez le glossaire.

Aileron : Petite lame située sous la coque, à la poupe, et dont le rôle est d'aider la planche à tenir son cap.

 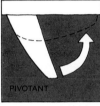 

Anneau de remorquage : Trou traversant la proue et pouvant servir au remorquage de l'embarcation.

Axe longitudinal : Ligne imaginaire divisant la planche en deux, dans le sens de la longueur, depuis la proue jusqu'à la poupe. Endroit idéal pour se placer les pieds et garder ainsi la planche équilibrée.

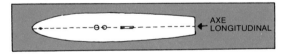

Coque : La planche elle-même.

Dérive : Lame de bois ou de plastique traversant la planche et dépassant sous la coque, dont le rôle est d'empêcher l'embarcation de dériver. Il existe trois sortes de dérives :
1. celles qui ne bougent qu'à la verticale, appelées aussi «dérives sabre»;
2. celles de type pivotant qui s'esquivent vers l'arrière lorsqu'elles rencontrent un obstacle;

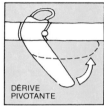
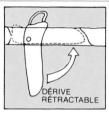

DÉRIVE SABRE   DÉRIVE PIVOTANTE   DÉRIVE RÉTRACTABLE

3. celles qui sont complètement rétractables, c'est-à-dire qu'elles peuvent rentrer en entier dans leur puits.

Emplanture du mât : Trou rond, rectangulaire ou oblong qui reçoit le pied du mât. Certaines embarcations peuvent en avoir jusqu'à 2 ou 3.

Ligne de sécurité : Petit cordage de sûreté servant à relier le gréement à la coque.

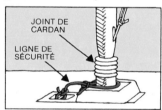

JOINT DE CARDAN

LIGNE DE SÉCURITÉ

Pont : Dessus de la coque, où l'on se tient debout.

Poupe : Partie arrière de la planche.

Proue : Partie avant et pointue de la planche.

Puits de dérive : Fente pratiquée dans la coque, destinée à loger la dérive.

Tranche : Côté de la coque.

Anatomie du gréement

À l'instar des planches, il existe de nombreux modèles de gréement, dont la forme et les dimensions varient selon le style de navigation. Par gréement, nous entendons l'ensemble composé du mât, de la voile et du wishbone. Donc, lorsque nous parlerons «d'incliner le gréement» ou de «tenir le gréement», nous ferons allusion à l'ensemble mât, voile et wishbone. D'autre part, le verbe «gréer» signifie «assembler les trois parties formant le gréement».

Le gréement junior est un gréement dont le mât, la voile et le wishbone sont petits. D'autre part, le gréement de régate a une voile beaucoup plus large que la voile ordinaire et un mât plus rigide. S'il existe différents modèles de gréement, leurs parties, cependant, demeurent généralement les mêmes.

Base du pied de mât: Partie du pied de mât qui est fixée dans l'emplanture du mât. Voir le dessin «Pied du mât».

Bordure: Bord inférieur de la voile.

Bosse d'amure: Cordage servant à tendre la voile vers le bas, qu'on attache au pied de mât pour ensuite le faire passer par l'erseau du point d'amure de la voile.

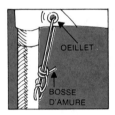

Chute: Bord arrière de la voile.

Cordages de harnais: Cordages attachés au wishbone et auxquels le véliplanchiste attache son harnais pour reposer ses bras fatigués par une traction constante.

Envergure: Bord avant de la voile.

Fenêtre: Ouverture recouverte de plastique transparent, qui permet au véliplanchiste de voir à travers la voile.

Fenêtre de fourreau: Ouverture dans le fourreau de mât, par laquelle on passe la ligne avant, avant de l'attacher au mât.

Fourreau de mât: Long gousset cousu sur le bord avant de la voile, dans lequel on insère le mât.

Gilet de sauvetage : Vêtement de flottaison qui maintient la tête d'une personne inconsciente hors de l'eau.

Gousset de latte : Étui cousu sur la voile, dans lequel on insère la latte.

Harnais : Gilet spécial qu'on accroche à des cordages fixés sur le wishbone et qu'on peut combiner à un VFI.

Joint de cardan : Articulation permettant au gréement de bouger dans tous les sens.

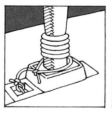 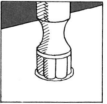 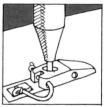

Latte : Longue lame plate de fibre de verre, destinée à rendre la chute de la voile plus rigide et à empêcher la voile de se déformer.

Ligne avant : Cordage reliant le mât au wishbone.

Mât : Tube vertical, fait de fibre de verre ou d'aluminium, qui sert à supporter la voile.

Pied de mât : Partie qu'on insère dans l'extrémité inférieure du mât et qui est fixée au joint de cardan.

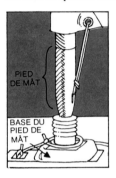

Poignée de wishbone : Poignée de caoutchouc, en avant du wishbone.

Point d'amure : Coin inférieur avant de la voile.

Point d'écoute : Coin inférieur arrière de la voile.

Sandow : Élastique servant à lier le tire-veille au pied de mât ou à la ligne avant.

Taquet coinceur : Ferrure par laquelle on passe un cordage pour le coincer, habituellement la ligne arrière ou la ligne avant.

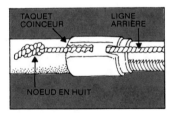

Têtière : Coin supérieur de la voile.

Tire-veille : Cordage attaché sur l'extrémité avant de la bôme, sous la poignée, et qui sert à relever la voile de l'eau.

Vêtement de flottaison individuel (VFI) : Gilet de flottaison qui doit être à la taille du véliplanchiste, que la loi et le bon sens suggèrent de toujours porter lorsqu'on navigue.

Wishbone, appelé aussi CERCEAU ou BÔME : Tube d'aluminium courbé, habituellement gainé de caoutchouc ou de néoprène.

Termes usuels de la planche à voile

Dans cette partie du glossaire, les termes qui sont indispensables à la compréhension de la matière sont suivis d'un astérisque. Il va sans dire que les autres termes doivent être appris également, même s'ils sont moins usités.

Abattre* : Éloigner la proue du vent.

Amure : Côté opposé à la position du wishbone. Quand ce dernier est à bâbord, l'embarcation est tribord amures, et vice versa.

Arrière*: Vers la poupe. Par exemple : incliner le gréement vers l'arrière, c'est le pencher vers la poupe.

Au vent*: Position la plus rapprochée du vent.

Bâbord: Côté gauche lorsqu'on regarde vers la proue. Un bon moyen de ne pas se tromper. Tribord et droite ont un *t* chacun donc bâbord = gauche.

Bâbord amures: Navigation quand le wishbone est du côté tribord de la planche. Une façon de s'en souvenir : lorsqu'on avance bâbord amures, la main gauche se trouve en avant de la main droite sur le wishbone.

Border*: Tirer la voile vers soi avec la main arrière.

Choquer*: Éloigner la voile de soi en la poussant de la main arrière.

Côté au vent*: Côté de la planche que le vent frappe en premier.

Côté sous le vent*: Côté où se trouve la voile. Côté le plus éloigné du vent.

Décrochage*: Ralentissement dû à une voile trop bordée qui produit un écoulement turbulent du vent sur son côté sous le vent.

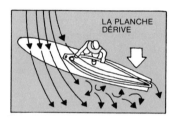

Dérive: Déplacement latéral de la planche, vers le côté sous le vent.

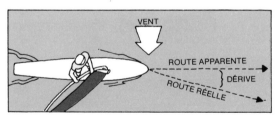

Devant: Tout ce qui se trouve devant la proue.

Empannage*: Changement d'amures en faisant passer la poupe par le lit du vent. Manoeuvre effectuée en navigation vent arrière. Pour changer de côté, le véliplanchiste passe en arrière du mât pour laisser tourner la voile par l'avant de la planche.

 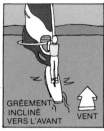 

En route: Déplacement de la planche sur l'eau.

Fasseyement*: Frémissement du bord avant de la voile, c'est-à-dire l'envergure. Si l'on tient la poignée devant le wishbone et que la voile claque littéralement, on dit qu'elle bat au vent.

 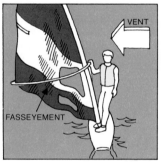

Incliner le mât, le gréement*: Pencher le mât soit vers l'avant, soit vers l'arrière, dans le but de faire pivoter la planche.

Largue*: Allure en travers du vent, de n'importe quel angle compris entre le près et l'arrière, et qui se divise en trois principales allures: le petit largue, le travers et le grand largue.

Lofer*: Faire pivoter la planche pour se rapprocher du lit du vent. Contraire d'**Abattre.**

Main arrière*: Main la plus éloignée du mât, sur le wishbone.

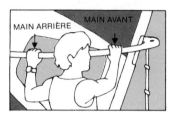

Main avant*: Main la plus rapprochée du mât, sur le wishbone.

Paume vers le bas: Prise du wishbone par le dessus.

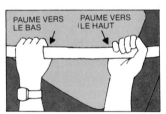

Paume vers le haut: Prise du wishbone par le dessous. Nous vous suggérons d'adopter la position que vous trouvez la plus confortable. Mais, selon nous, c'est la position "paume vers le bas", pour la main arrière, qui est la meilleure.

Plan longitudinal*: Plan imaginaire qui s'élève de l'axe longitudinal.

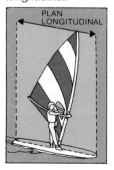

Position neutre*: Position dans laquelle on maintient la voile, même si elle fasseye, lorsqu'on veut conserver son allure. En position neutre, le wishbone est à l'horizontale.

Près: Allure la plus rapprochée du vent, soit à environ 45° par rapport à celui-ci.

Priorité: Règle de route applicable lorsque deux bateaux ou plus se rencontrent ou se croisent, et qui donne le privilège à l'un d'entre eux de maintenir son cap.

Sous le vent*: Direction du vent. Lorsqu'un objet se trouve du côté sous le vent de la planche, cela signifie qu'il est du côté le plus éloigné de l'origine du vent.

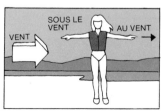

Travers : Ce qui est perpendiculaire à l'axe longitudinal de la planche.

Tribord : Côté droit lorsqu'on regarde vers la proue.

Tribord amures : Navigation quand le wishbone est du côté bâbord de la planche. Un truc pour s'en rappeler : la main droite est en avant de la main gauche sur le wishbone.

Vent : Que ferait-on sans lui ?

Vent arrière: Allure sur laquelle on avance le vent dans le dos.

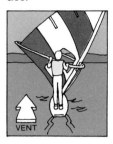

Vent debout*: Origine du vent. Une planche qui navigue vent debout se dirige donc vers le vent.

Virement de bord*: Changement d'amures en faisant passer la proue à travers le lit du vent. La planche doit pivoter d'au moins 90°.

Mémo

Chapitre 1

Le vent

Le vent est la force de propulsion de la planche à voile.
Source d'énergie gratuite, inépuisable et peu bruyante, il n'a
qu'un seul défaut : il est invisible, et donc mal utilisé par le
débutant qui n'a pas encore appris à le «voir».

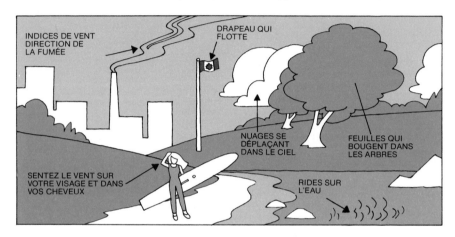

La faculté de sentir le vent, primordiale dans notre sport, se
développe avec le temps. Au début, vous apprendrez à détec-
ter le vent par des indices visuels, comme un drapeau qui
flotte, des feuilles qui bougent dans les arbres ou des rides qui
se forment à la surface de l'eau. Puis, graduellement, votre
corps se familiarisera avec lui. Essayez de percevoir le vent
avec l'exercice suivant : fermez les yeux et tournez sur vous-
même à quelques reprises, puis arrêtez-vous. D'où vient le
vent ? Si vos autres sens sont capables de le percevoir, il va
sans dire que vous apprendrez aussi à le «voir», avec le temps.

Essayez ensuite de visualiser le vent qui souffle sur le plan
d'eau sous la forme de grosses flèches. Dans quel sens est le
vent arrière ? Le vent debout ? Le vent de travers ?

Observez maintenant les véliplanchistes sur l'eau. Sur quelle
allure naviguent-ils? Il vous sera facile de le savoir en détermi-
nant d'où vient le vent et en regardant dans quelle direction ils
avancent. L'allure, c'est la direction que suit la planche par
rapport à celle du vent.

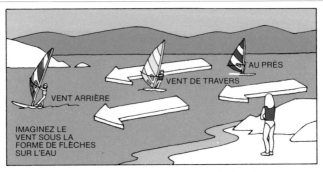

Toutefois, vous aurez constaté que les véliplanchistes ne naviguent pas tous dans la même direction. En effet, il existe plusieurs allures que nous vous exposerons dans les pages suivantes.

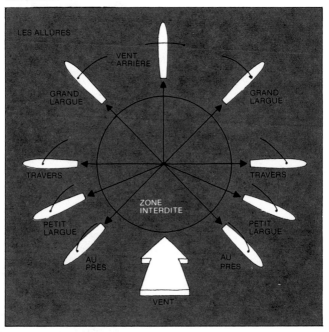

Le près (Le plus près)

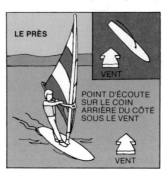

Naviguer au près, c'est avancer en serrant le vent au maximum, soit à un angle d'environ 45° par rapport au lit du vent. Sur cette allure, vous remarquerez que le véliplanchiste maintient sa voile très rapprochée du plan longitudinal.

Le largue

Le largue, c'est l'allure intermédiaire entre le près et le vent arrière. Quand vous regardez les évolutions des véliplanchistes sur l'eau, vous remarquez que beaucoup d'entre eux naviguent sur cette allure, parce qu'elle englobe trois directions particulières :

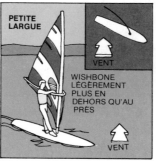
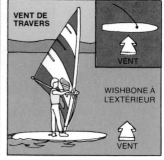

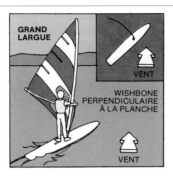

1. le petit largue : allure légèrement plus éloignée du vent que le près;

2. le vent de travers : allure directement en travers du lit du vent;

3. le grand largue : allure éloignée du vent, entre le vent de travers et le vent arrière.

Il importe peu que vous soyez capable de les distinguer dès aujourd'hui. Pour l'instant, retenez que naviguer au largue, c'est avancer en travers du vent, et que plus la planche s'écarte du vent, plus il faut éloigner le wishbone de l'axe longitudinal, afin de conserver un écoulement régulier du vent sur la voile.

Le vent arrière

Naviguer vent arrière, c'est avancer le vent dans le dos. Quand vous observez un véliplanchiste qui navigue sur cette allure, vous remarquez qu'il tient sa voile de façon à former un V, dans le but de recueillir le plus de vent possible. Au vent arrière, la planche se trouve littéralement poussée en avant.

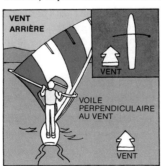

Il est très important de savoir distinguer les différentes allures avant de se mettre à naviguer. En guise d'exercice supplémentaire, nous vous proposons d'identifier celles qui sont illustrées à la page 118.

Vous avez sans doute remarqué que les véliplanchistes ne conservent pas toujours la même allure. Il existe deux moyens de changer de direction : le virement de bord et l'empannage.

Virer de bord et empanner

Virer de bord, c'est faire tourner la proue dans le vent, en inclinant le gréement vers l'arrière. Dès que la planche a franchi le lit du vent, il faut contourner le mât par l'avant pour se placer sur l'autre côté de l'embarcation.

Empanner, c'est faire passer la poupe par le lit du vent. Lorsque vous empannez, vous devez vous tenir derrière le mât.

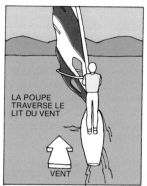

À quoi ces manoeuvres servent-elles ?

Vous vous demandez peut-être à quoi servent ces deux manoeuvres. Supposons que vous vous trouviez au point A et que vous vouliez vous rendre à B. Or, le vent souffle directement de B. La seule façon de pouvoir atteindre ce point est de louvoyer, c'est-à-dire virer de bord plusieurs fois.

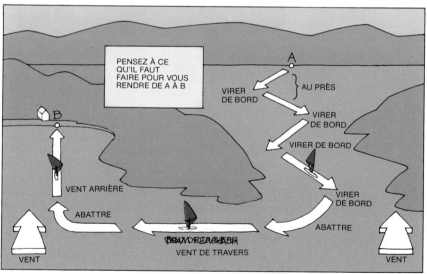

Virer de bord lorsque vous remontez le vent et empanner lorsque vous naviguez vent arrière sont les moyens les plus rapides pour changer de direction. Notons que les débutants préfèrent généralement empanner parce que la manoeuvre est plus facile.

Ça commence dans la tête

Une façon à la fois amusante et profitable de développer sa perception du vent est d'imaginer des stratégies de navigation.

Ainsi, lorsque vous marchez, que ce soit pour vous rendre à l'école, au bureau ou à la plage, imaginez que vous êtes sur une planche à voile. Servez-vous de votre corps et de votre visage pour sentir le vent. Ce dernier vient-il de derrière ou de côté? Dans le premier cas, vous naviguez vent arrière; dans le second, vous avancez vent de travers.

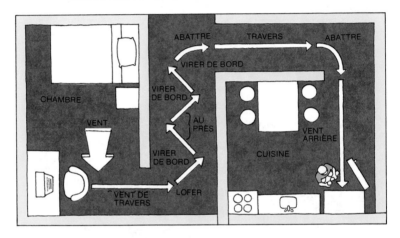

Votre maison est un plan d'eau. Supposons que le vent souffle dans le sens du corridor. Le point de départ est votre chambre et le point d'arrivée, la cuisine. Vous sortez de la chambre vent de travers pour parcourir ensuite le corridor en louvoyant. Puis, vous abattez pour vous remettre vent de travers, avant de tourner le coin qui mène à la cuisine. Vous abattez de nouveau et vous vous dirigez vent arrière jusqu'au frigo. Vous laissez tomber votre voile pour arrêter et vous verser un bon grand verre de lait! Après quoi vous bordez votre voile et repartez vers votre chambre.

Il est bon de faire de tels exercices, car cela aide à sentir le vent et à apprendre à manoeuvrer la planche en fonction de celui-ci.

Comment obtenir un gréement équilibré

Un gréement équilibré est indispensable au bon rendement d'une planche à voile. Mais qu'est-ce qu'un gréement équi-

libré? Un gréement est dit «équilibré» lorsque son centre de gravité repose sur le pied du mât. Pour mieux illustrer le principe, prenons l'exemple d'une échelle. Ainsi, lorsqu'elle est inclinée d'un côté, il faut la retenir fortement pour ne pas qu'elle tombe. Par contre, en position verticale, l'échelle se tient presque toute seule.

Il en va de même pour le gréement. En effet, lorsque celui-ci est équilibré, c'est la base du pied du mât qui supporte tout le poids, si bien que vous pouvez tenir le gréement avec un doigt.

Étant donné que la voile est large, il est parfois difficile de savoir si le gréement est équilibré. Voici deux moyens infaillibles de s'en rendre compte:

1. sauf au vent arrière, le mât devrait être sur l'axe longitudinal de la planche; et le wishbone, en position horizontale;

2. si vous lâchez le wishbone un instant et s'il ne retombe pas immédiatement, cela signifie que le gréement est très bien équilibré.

Nous vous recommandons de répéter plusieurs fois cette manoeuvre à terre. Il faut toujours se rappeler qu'un gréement bien équilibré peut être tenu d'un seul doigt.

Réglage de la voile
Régler la voile, c'est l'ajuster constamment, avec la main arrière, pour qu'elle soit toujours parfaitement placée par rap-

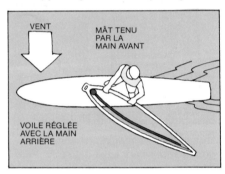

port au vent. La main avant sert à maintenir le mât sur l'axe longitudinal de la planche et aide à diriger cette dernière. Comme nous le verrons plus loin, réglage de voile et conduite vont de pair. Mais pour l'instant, examinons l'ajustement de la voile en tant que tel.

Comment régler la voile

Lorsque vous naviguez, vous cherchez à placer la voile de façon à produire un écoulement régulier du vent sur sa surface. La voile est dite alors «bien réglée». Pour vérifier si la voile est toujours correctement ajustée, vous pouvez :

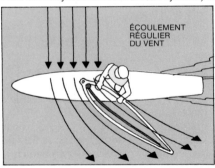

1. utiliser des penons, fils de laine ou rubans collés sur chaque côté de la voile;

2. choquer la voile jusqu'à ce qu'elle se mette à fasseyer, puis la border pour faire disparaître le fasseyement.

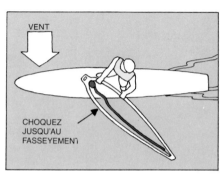 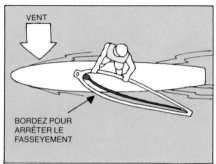

Cette dernière technique, appelée «vérification de la limite du fasseyement», est la manoeuvre la plus importante et la plus utile en planche à voile.

Lorsque l'envergure est repoussée par le côté sous le vent de la voile, cela indique un écoulement turbulent du vent. Pour remédier à ce problème, bordez la voile avec la main arrière jusqu'à disparition du fasseyement.

Au début, il faudra vérifier la limite du fasseyement au moins toutes les minutes, car c'est le seul moyen de savoir si la voile est correctement réglée. Il faut veiller à ce que celle-ci ne soit pas trop bordée, car elle entrave l'écoulement régulier du vent et par conséquent, ralentit la planche. Après un certain temps, il ne sera plus nécessaire de faire cette vérification aussi souvent.

Réglage de la voile selon l'allure

Au près
Au début, vous trouverez cette allure difficile. Mais peu à peu, vous apprendrez à serrer le vent au maximum, sans faire fasseyer la voile et sans ralentir votre planche.

Au largue
Au largue, plus vous naviguez loin du vent, plus vous devez écarter la voile de l'axe longitudinal de la planche, afin de garder un écoulement régulier du vent. Pour régler la voile, vous la choquez jusqu'à produire un fasseyement, puis vous la bordez pour éliminer ce dernier.

Chaque fois que vous modifiez votre route, vous devez régler la voile de nouveau.

Au vent arrière
Sur cette allure, placez la voile de façon à ce qu'elle forme un angle droit avec le vent et la planche. Puis inclinez le mât sur un côté pour élever le point d'écoute de la voile. Ainsi placés, mât et voile formeront un V.

Conduite de la planche à voile

Nous savons que la voile sert à conduire la planche. En effet, c'est elle qui, inclinée vers l'avant ou vers l'arrière, fait s'éloigner ou se rapprocher l'embarcation du vent.

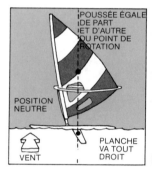
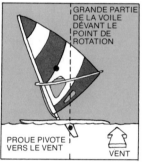

Expliquons la relation entre la voile et la planche. Supposons que la planche pivote autour de son centre - ce qu'elle fait d'ailleurs - et que la voile soit sur l'axe longitudinal, la planche avance en ligne droite. Si nous penchons le gréement vers l'avant, la force du vent contre la voile détourne l'embarcation du vent. Dans le cas contraire, la planche pivotera vers le vent.

Voici un exemple. Pour simuler une planche, tenez un stylo à bille horizontalement entre vos doigts. Imaginez que vous inclinez le gréement vers la pointe, c'est-à-dire la proue: ceci éloigne cette dernière de vous, la planche s'écarte du vent. On dit qu'elle «abat». Imaginez ensuite que vous inclinez le gréement vers l'autre bout du stylo, c'est-à-dire la poupe. Que se passe-t-il? La pointe se rapproche du vent et de vous: on dit que la planche «lofe».

Quand vous conduisez une planche à voile, rappelez-vous
deux choses : 1° le mât doit être maintenu sur l'axe longitudinal, et 2° une légère inclinaison suffit à faire pivoter la planche.

La conduite vent arrière

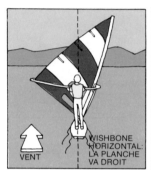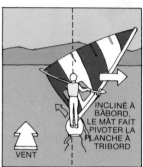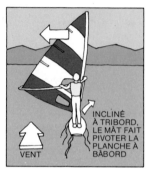

Pour changer de direction au vent arrière, il faut incliner la
voile sur le côté de la planche. Vous devez la maintenir dans
cette même position jusqu'à ce que la planche change d'allure,
après quoi vous réglez de nouveau la voile en fonction de la
nouvelle direction.

Réglage de la voile en fonction de la conduite

Comme nous l'avons dit plus tôt, régler la voile et conduire la
planche vont de pair.

Ainsi, pour **lofer** :
* inclinez le gréement vers l'arrière et bordez la voile;
* pendant que la proue pivote, continuez à border la voile,
  afin que celle-ci reste toujours bien pleine;
* lorsque la planche pointe dans la direction voulue, inclinez
  le gréement pour remettre le wishbone à l'horizontale,
  c'est-à-dire en position neutre;
* vérifiez ensuite la limite du fasseyement.

Pour **abattre**, il faut procéder de la façon suivante :
* inclinez le gréement légèrement vers l'avant et bordez la
  voile;
* dès que la planche se met à s'éloigner du vent, choquez la
  voile lentement avec la main arrière, pour qu'elle reste bien
  réglée.

LOFER

INCLINEZ
LE MÂT
EN ARRIÈRE:
BORDEZ
LÉGÈREMENT

VENT

LA PLANCHE
TOURNE
AU VENT

RÉGLEZ
LA VOILE POUR
LA NOUVELLE
ALLURE

VENT

ABATTRE

INCLINEZ
LE MÂT EN
AVANT

ON BORDE
LÉGÈREMENT

VENT

LA PLANCHE
S'ÉLOIGNE
DU VENT

CHOQUEZ
À MESURE QUE LA
PLANCHE PIVOTE

VENT

Lorsque vous abattez vent arrière, inclinez le mât du côté au vent de la planche.

Régler la voile tout en conduisant la planche est une question de pratique. Il s'agit d'apprendre à coordonner deux mouvements : celui d'incliner le gréement sur l'axe longitudinal et celui de choquer, ou de border, la voile.

Nous vous recommandons de bien vous exercer à terre, sur un simulateur ou sur votre équipement, avant d'effectuer votre première sortie.

Mémo

Chapitre 2

Introduction

Aperçu de la planche à voile

Pour plusieurs d'entre vous, ce sera votre première expérience en milieu nautique, ce qui demande déjà une certaine adaptation. C'est pourquoi nous croyons que votre apprentissage de la planche à voile n'en sera que plus facile et plus agréable si vous procédez par étapes.

Certains sports, comme le cyclisme, requièrent une coordination de plusieurs mouvements. En effet, pour aller à bicyclette, il faut à la fois se tenir en équilibre, conduire et pédaler. Si le fonctionnement d'une planche à voile est analogue à celui de la bicyclette, on peut cependant apprendre chaque technique séparément. Ainsi vous pourrez, d'une part, vous exercer à manipuler le gréement à terre et, d'autre part, apprendre à vous tenir en équilibre sur la planche. Puis lorsque vous maîtriserez les deux techniques, vous pourrez les combiner.

Vous apprendrez rapidement, à condition de ne pas brûler les étapes et de considérer les facteurs suivants :
- il est préférable de visualiser mentalement la technique que vous voulez apprendre, pour l'exécuter comme il faut.
- le cerveau ne retient qu'une petite quantité d'informations à la fois. Il vaut donc mieux, pour apprendre vite et bien, morceler la matière de ce livre plutôt qu'essayer de l'assimiler d'un seul coup.

- pour faire de la planche à voile, il faut à la fois :
  a) sentir le vent ;
  b) se tenir en équilibre sur la planche et être capable d'équilibrer le gréement ;
  c) savoir manipuler le gréement (la voile).

PROCÉDEZ ÉTAPE PAR ÉTAPE POUR NE PAS TOUT FAIRE DE TRAVERS.

Avant de sortir, posez-vous ces trois questions :
a) d'où vient le vent ?
b) suis-je capable de me tenir debout sur la planche et d'équilibrer mon gréement ?
c) suis-je capable de me servir correctement du gréement sur l'eau ?

Si vous avez répondu «oui» aux trois questions, vous êtes prêt à partir. Sinon, il serait préférable de relire la section mal comprise, car l'eau n'est pas un endroit pour jouer aux devinettes !

• tout apprentissage ne se fait pas sans anicroches. Si vous tombez à l'eau plus souvent qu'à votre tour, ne vous découragez pas. Dites-vous bien que nous sommes tous passés par là et qu'il vaut mieux en rire qu'en pleurer.

Choix d'une méthode d'enseignement

Vous hésitez entre apprendre seul et suivre des cours. C'est pour vous aider à choisir que nous exposons ici le pour et le contre de chaque méthode.

Apprendre seul?

Avec cette méthode, vous apprenez à votre rythme, quand et où vous voulez. Toutefois, vous ne disposez pas toujours de matériel pour débutants, comme une planche d'apprentissage plus large qui vous permet de pratiquer vos manoeuvres sans perdre l'équilibre, ou une voile plus petite, pour apprendre à la manipuler.

Vous mettrez sans doute plus de temps à apprendre seul que si vous suiviez des cours dans une école spécialisée.

Suivre des cours?

Cette méthode est plus avantageuse que la première pour les raisons suivantes :

- présence sécurisante d'instructeurs prêts à vous aider;

- enseignement systématique des techniques avec des simulateurs terrestres et du matériel adapté à vos besoins;

- enseignement de la sécurité aquatique;

- obtention d'un certificat utile pour louer une planche à voile ou pour faire une carrière d'instructeur.

LES ÉCOLES OFFRENT UN ENVIRONNEMENT SÉCURITAIRE ET STIMULANT

Pourquoi ne pas participer au programme «Initiation à la planche à voile» de l'ACY ou de la Fédération de voile de votre province? Vous verrez, cela en vaut le coût!

Choix du plan d'eau

Un plan d'eau sûr est la clef d'un apprentissage rapide. Voici les qualités du plan d'eau idéal:

- l'étendue d'eau sera restreinte, comme un lac, un étang ou une baie, pour ne jamais se trouver loin d'une rive, au cas où le vent ferait dériver la planche;
- l'endroit est peu fréquenté par les baigneurs et les plaisanciers. Naviguer dans une foule, c'est comme apprendre à conduire sur une autoroute: le danger est aussi grand pour vous que pour les autres;
- le vent est calme et régulier; il souffle de préférence du large ou en travers de la rive. Il est imprudent, au début, de naviguer par brise de terre. En effet, il s'agit d'un vent léger près de la rive qui s'élève à mesure que vous vous éloignez;
- le fond de l'eau est lisse, sans roches. Vous ne risquerez donc pas de vous blesser en tombant à l'eau;
- quand vous naviguez près d'une plage publique, il est préférable de porter des souliers ou des bottillons afin de vous protéger les pieds des débris de verre ou de métal;
- la rive est escarpée. Ainsi la dérive n'accrochera pas le fond;
- il n'y a pas de courant ni de marée;
- le plan d'eau n'est pas en amont d'une chute.

Un plan d'eau qui réunit toutes ces qualités est rare. Assurez-vous toutefois qu'il réponde aux normes suivantes : peu fréquenté, protégé, sur lequel souffle un vent léger du large ou

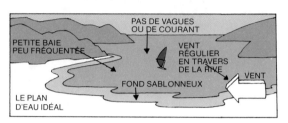

perpendiculaire à la rive.

Le vent

Nous ne pouvons insister assez sur le fait que le vent doit être léger lorsque vous êtes en plein apprentissage et ce, même si vous suivez des cours. En effet, vous ne retirerez aucune satisfaction d'un vent très fort ou trop léger.

Les noeuds

Voici quelques noeuds qui vous serviront à monter votre voile.

noeud en huit : noeud d'arrêt qui sert à empêcher un cordage de sortir d'un taquet coinceur. Il est surtout utilisé pour fixer la ligne arrière.

EMPÊCHE LA LIGNE ARRIÈRE DE GLISSER DU TAQUET

noeud plat : noeud servant à lier deux cordages de même diamètre. Noeud par excellence pour remorquer une planche ou réparer un cordage brisé.

SERT À ATTACHER LE WISHBONE (FACILE À DÉFAIRE)

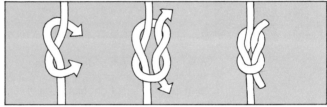

noeud d'écoute : noeud servant à lier deux cordages de diamètre différent dont le plus gros forme la première boucle.

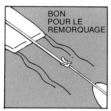

BON POUR LE REMORQUAGE

noeud de chaise : noeud qui sert à faire une boucle qui ne se desserre pas, tout en étant facile à défaire. Il est utilisé pour attacher la bosse d'amure, pour remorquer une embarcation ou pour attacher la planche sur le toit d'une voiture.

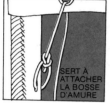

noeud de cabestan : noeud par excellence pour fixer la bosse d'amure ou pour empêcher la ligne avant de glisser.

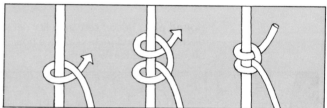

noeud de cabestan double : noeud qui sert surtout à attacher la ligne avant sur le mât. Pour l'empêcher de glisser le long du mât, il faut doubler la demi-clef à capeler.

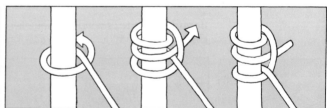

noeud de prusik : noeud par excellence pour attacher la ligne avant au mât lorsqu'un seul des deux bouts est nécessaire.

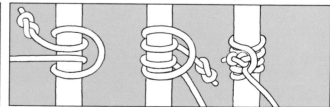

noeud de bosse : noeud pouvant servir à attacher la ligne avant au mât.

SERT À ATTACHER LA LIGNE AVANT AU MÂT

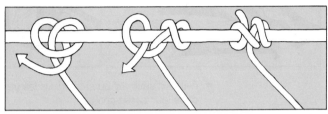

noeud de camionneur : noeud par excellence pour attacher la planche sur le toit d'un véhicule.

SERT À FIXER LA PLANCHE SUR LE SUPPORT DU TOIT

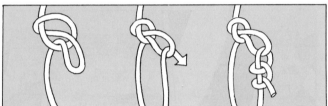

Lorsque vous voulez gréer votre planche sur une plage très fréquentée, il va de soi que vous n'agirez pas comme si vous y étiez seul. C'est ce qu'on appelle «respecter son prochain comme soi-même». Voici quelques petits conseils visant à ne pas vous faire détester :

PLACEZ CÔTE À CÔTE LA GRÉEMENT ET LA PLANCHE. LE MÂT AU VENT ET LA LIGNE ARRIÈRE DESSERRÉE

- placez la planche et le gréement de façon à ne pas nuire aux autres véliplanchistes;
- n'appuyez pas le gréement contre les arbres ou les buissons. En plus d'endommager la voile, vous risquez de casser des branches. La destruction de l'environnement est toujours inquiétante pour les habitants de l'endroit;

- évitez d'envoyer du sable dans les yeux des vacanciers ou dans leur casse-croûte;
- prenez garde aux fils électriques aériens, surtout si le mât est en aluminium.

Certaines plages interdisent maintenant l'accès aux planches à voile, à cause de quelques véliplanchistes sans-gêne. Évitons que cela ne se reproduise! Il faut partager la plage et l'eau avec les autres et respecter leur droit au bien-être et à la sécurité.

Le gréement

Avec un peu d'entraînement, gréer une planche à voile est l'affaire de quelques minutes.

Préparation de la coque

En général, la préparation de la coque se résume à enlever la planche du toit du véhicule et à la mettre à l'eau. Toutefois, pour éviter les mauvaises surprises et les blessures aux pieds sur l'eau, il est préférable d'inspecter rapidement la planche, afin d'en vérifier l'état et la solidité. Vous prendrez bien soin de boucher les trous et les fissures. Vous éviterez ainsi les infiltrations d'eau, qui feraient décoller la mousse de la coque.

Gréement de la voile

Tout d'abord, déposez la voile sur l'herbe plutôt que sur le sable qui use la toile très rapidement.

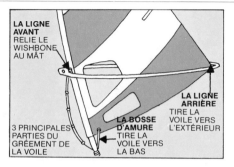

Les trois parties principales du gréement d'une voile sont : la bosse d'amure, la ligne avant et la ligne arrière.

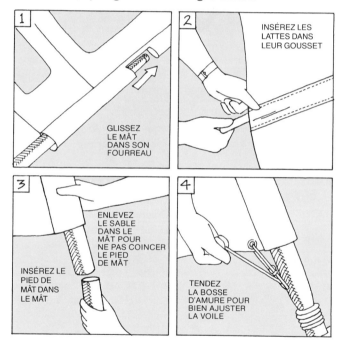

Étapes

1. Avant d'insérer le mât dans le fourreau de voile, il faut s'assurer de l'étanchéité de la tête du mât, qui doit être hermétiquement fermée par un bouchon ou un ruban adhésif. Il faut enlever le plus de sable possible du fourreau, car cela use la toile;
2. Glissez ensuite les lattes dans leur gousset respectif;
3. Fixez le pied du mât au mât, après l'avoir bien nettoyé. Puis tendez la bosse d'amure;
4. Attachez la bosse d'amure, ce qui entraîne la formation d'un pli vertical le long de l'envergure. Ce pli disparaîtra lorsque vous aurez tendu la ligne arrière.

Comment fixer le wishbone

La première opération consiste à attacher fermement la ligne avant au mât, à hauteur de menton, de préférence avec un noeud de cabestan double, parce que ce dernier ne glisse pas et ne se défait pas. Fixée trop haut ou trop bas, ou mal assujettie, la ligne avant peut déchirer la voile.

Voici les trois méthodes généralement utilisées pour fixer le wishbone.

UNE LIGNE AVANT INSUFFISAMMENT TENDUE PEUT FAIRE GLISSER LE WISHBONE ET DÉCHIRER LA VOILE

Vous aurez pris soin d'abord de placer le mât dans le wishbone; le tire-veille vers le bas.

1. La façon la plus sûre consiste à attacher le wishbone au mât par un noeud plat, à la fois solide et facile à défaire.

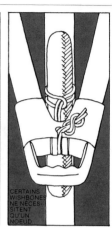

2. Vous pouvez aussi passer un cordage dans le trou situé près de la poignée, vers le haut, puis dans l'autre, vers le bas, et autour du mât. Vous ramènerez ensuite le cordage à travers la poignée pour le fixer dans un taquet coinceur.

3. Certains types de wishbones sont munis d'une boucle déjà nouée prête à être enroulée autour du mât, puis à être insérée dans une fente à l'intérieur de la poignée.

Dans les trois cas, la ligne avant doit être légèrement desserrée, pour qu'elle puisse se tendre et ainsi bien positionner le wishbone lorsque celui-ci descendra. Si elle est trop serrée au départ, cela empêchera le wishbone de descendre quand on lèvera le mât. Il ne faut surtout pas forcer la bôme vers le bas, ce qui écraserait le mât : une pression délicate suffit. Si la ligne avant est trop tendue, il faudra desserrer légèrement la ligne arrière, puis essayer d'abaisser le wishbone de nouveau. Régler correctement le cordage, avec le mât dans la bôme, est une question d'habitude. C'est une manoeuvre très importante, car un wishbone trop lâche, c'est comme un guidon de bicyclette mal ajusté : il diminue la vitesse de réaction du véhicule.

Il faut éviter de coincer la voile entre le mât et le wishbone pour ne pas la déchirer.

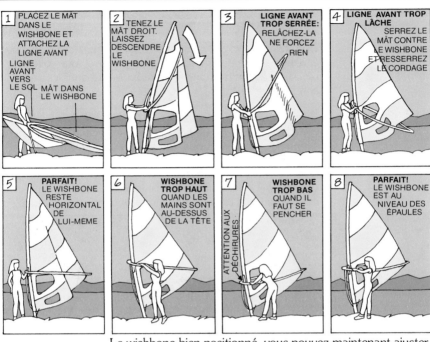

Le wishbone bien positionné, vous pouvez maintenant ajuster la ligne arrière que vous enfilez dans l'oeillet du point d'écoute de la voile et vous la ramenez ensuite jusque dans le taquet coinceur, à l'autre bout de la bôme.

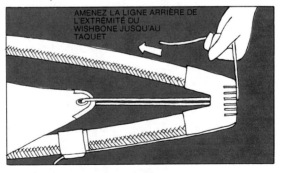

Ajustement de la voile

Une voile correctement ajustée réagit à la moindre manœuvre et aide à maîtriser le gréement. Naviguer avec une voile mal réglée, c'est comme conduire une bicyclette dont les pneus sont très mous.

Il sera facile de rajuster la voile au moyen de la bosse d'amure et de la ligne arrière. Le premier cordage étant déjà attaché, il suffira peut-être, pour que tout soit parfait, de le resserrer jusqu'à ce qu'un petit pli se forme le long de l'envergure. Il faudra ensuite haler la ligne arrière pour faire disparaître le pli. Cela devrait suffire à rendre la voile lisse et légèrement éloignée du wishbone. Un point d'écoute qui plisse et une

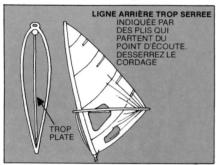

LIGNE ARRIÈRE TROP SERREE
INDIQUÉE PAR DES PLIS QUI PARTENT DU POINT D'ÉCOUTE. DESSERREZ LE CORDAGE

TROP PLATE

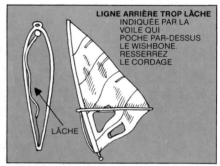

LIGNE ARRIÈRE TROP LÂCHE
INDIQUÉE PAR LA VOILE QUI POCHE PAR-DESSUS LE WISHBONE. RESSERREZ LE CORDAGE

LÂCHE

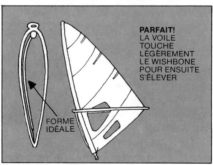

PARFAIT!
LA VOILE TOUCHE LÉGÈREMENT LE WISHBONE POUR ENSUITE S'ÉLEVER

FORME IDÉALE

voile aplatie indiquent que la ligne arrière est trop tendue. Par contre, si la voile poche près du wishbone, cela signifie que la ligne arrière n'est pas assez tendue.

Si la voile, lorsqu'elle se gonfle, touche très légèrement le wishbone au niveau de la fenêtre, pour ensuite s'élever, cela indique que la ligne arrière est parfaitement réglée.

La voile s'étire au contact du vent. C'est pourquoi, au départ, il est préférable de la serrer un peu plus afin que le vent lui donne la forme adéquate. Ajuster parfaitement la voile demande un certain entraînement. Pour améliorer cette technique, vous pourrez demander à un copain resté à terre d'observer votre voile et d'en signaler les défauts.

La ligne arrière est maintenant correctement tendue et pourtant l'envergure de la voile est encore plissée.

1. De petits plis horizontaux révèlent que la bosse d'amure est trop lâche. La solution : tendre ce cordage.

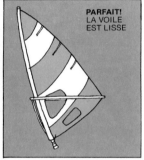

2. Un long pli vertical est signe que la bosse d'amure est trop tendue. La solution: relâcher le cordage pour faire disparaître le vilain pli.

Si l'ajustement de la voile vous semble complexe au début, vous verrez, avec le temps, qu'il n'en est rien. "Ce qui mérite d'être fait mérite d'être bien fait." Alors n'hésitez pas à prendre une minute de plus pour ajuster parfaitement la voile. Votre promenade n'en sera que plus agréable.

La voile est maintenant établie; vous voici prêt à voguer sur les flots . . . ou presque !

Ça y est : vous avez choisi votre plan d'eau et vous êtes prêt à sortir. Avez-vous vérifié votre liste de sécurité ? Celle-ci comprendra trois sections : la sécurité personnelle, l'état du matériel ainsi que les conditions de vent et de mer. Elle doit faire partie du rituel de chaque randonnée. "Mieux vaut prévenir que guérir", n'est-ce pas ?

Votre sécurité personnelle

- Avez-vous fait part à quelqu'un de vos projets ? Laissez toujours un plan approximatif de votre randonnée, par prudence.
- Êtes-vous capable de vous dépanner seul ? Vous devez absolument vous y exercer lors de votre première sortie.
- Votre gilet de sauvetage : ne partez pas sans lui.
- Êtes-vous suffisamment habillé pour affronter un changement de température ?
- Savez-vous faire le signal de détresse ?
- Le vent est-il trop fort pour vous ?

L'État du matériel

- Inspectez votre matériel pour déceler la moindre défectuosité qui pourrait gâcher votre plaisir sur l'eau.
- La ligne de sécurité est-elle bien attachée ?
- Apportez une bonne longueur de cordage supplémentaire que vous attacherez sur le wishbone.

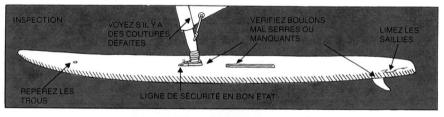

INSPECTION

VOYEZ S'IL Y A DES COUTURES DÉFAITES

VERIFIEZ BOULONS MAL SERRÉS OU MANQUANTS

LIMEZ LES SAILLIES

REPÉREZ LES TROUS

LIGNE DE SÉCURITÉ EN BON ÉTAT

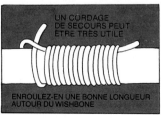

UN CORDAGE DE SECOURS PEUT ÊTRE TRÈS UTILE

ENROULEZ-EN UNE BONNE LONGUEUR AUTOUR DU WISHBONE

- Si vous aimez les longues randonnées, il vaut mieux apporter du matériel de secours que vous pourrez insérer dans le mât, tel qu'une fusée éclairante, un miroir, une tablette de chocolat, une couverture isolante, du ruban adhésif, etc.

Les conditions de vent et de mer

- Vous devez vous informer des prévisions météorologiques pour les prochaines heures. Vous pouvez aussi observer le ciel. Ainsi, la présence de nuages noirs est un signe avant-coureur d'orage.

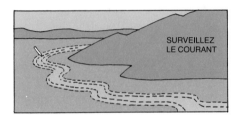

- Y a-t-il du courant ou de la marée?
- Ne vous éloignez pas trop de la rive, afin d'être capable de rentrer même si le vent tourne ou cesse de souffler.
- Il est recommandé de ne pas naviguer le soir.

Apprentissage à terre

Les écoles spécialisées fournissent des simulateurs terrestres destinés à l'apprentissage des diverses techniques. Ces appareils réagissent de la même façon qu'une planche sur l'eau et vous permettent d'apprendre sans les problèmes de dérive et de "plongeons".

Si vous apprenez seul, faites comme si vous étiez sur une planche ou, mieux encore, dessinez-en une sur la plage et imaginez ses réactions en fonction des mouvements du gréement.

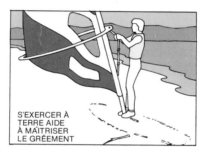

S'EXERCER À TERRE AIDE À MAÎTRISER LE GRÉEMENT

Nous vous conseillons de pratiquer les positions de départ et d'apprendre à border la voile à terre, pour être plus sûr de vous lorsque vous serez sur l'eau. En outre, il est bon de réviser les allures, sur les deux amures, pour savoir comment faire pivoter la planche, équilibrer le gréement, border la voile en fonction de celles-ci.

Si vous possédez une planche usagée que vous ne craignez pas d'abîmer, pourquoi ne pas vous en servir? Ne prenez surtout pas votre planche flambant neuve, car les égratignures sont difficiles à réparer! Il serait sage de répéter aussi une technique d'autosauvetage.

La mise à l'eau

La mise à l'eau

Le moment tant attendu de la première mise à l'eau est enfin arrivé. S'il s'agit d'un exercice d'équilibre sur la planche, laissez votre gréement à terre.

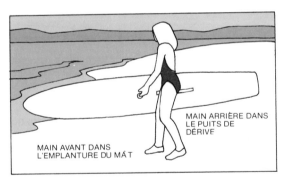

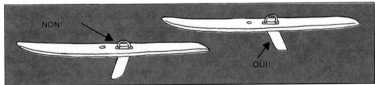

Avant de mettre la planche à l'eau, installez la dérive en prenant soin d'enlever le sable de son puits, pour éviter d'endommager la planche et la dérive. S'il s'agit d'une dérive rétractable ou pivotante, mettez-la en position verticale, puis horizontale, afin de bien comprendre son rôle. Notons que c'est la position verticale qui donne un maximum de stabilité à l'embarcation.

Puis, debout sur la planche, exercez-vous à vous tenir en
équilibre. (Voir la section "VOTRE PREMIÈRE SORTIE".)
Pour une sortie à voile, la mise à l'eau s'effectue différemment.

Mise à l'eau à partir d'un quai

Le départ d'un quai s'effectue de la façon suivante :
1. jetez le gréement à l'eau, le côté du mât en premier;
2. placez ensuite la planche sur l'eau;

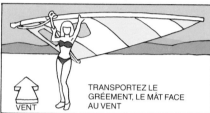

TRANSPORTEZ LE
GRÉEMENT, LE MÂT FACE
AU VENT

VENT

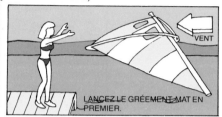

VENT

LANCEZ LE GRÉEMENT MAT EN
PREMIER.

GLISSEZ LA PLANCHE
DANS L'EAU

RAMEZ VERS LE
GRÉEMENT QUE VOUS
ATTACHEREZ À LA
PLANCHE PAR LE JOINT
DE CARDAN

3. installez-vous sur la planche, puis rendez-vous jusqu'au
gréement (la dérive aura été installée à terre).

4. attachez le gréement à la coque, du côté sous le vent.

Il faut prendre garde aux plaisanciers qui s'approchent du quai
et qui peuvent ne pas avoir vu la voile dans l'eau.

Mise à l'eau à partir d'une plage

1. déposez le gréement sur l'eau, ou lancez-le en prenant soin
de n'assommer personne!

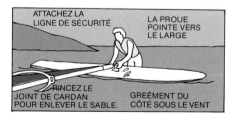

ATTACHEZ LA
LIGNE DE SÉCURITÉ

LA PROUE
POINTE VERS
LE LARGE

RINCEZ LE
JOINT DE CARDAN
POUR ENLEVER LE SABLE.

GRÉEMENT DU
CÔTÉ SOUS LE VENT

2. placez ensuite la planche sur l'eau;
3. attachez le gréement à la planche, de façon à ce que la proue pointe vers le large et le gréement se trouve du côté sous le vent de la planche.

Si l'endroit est trop encombré, il vaut mieux se diriger vers une partie moins fréquentée du plan d'eau.

Une autre façon de mettre la planche à l'eau consiste à attacher le gréement à la coque sur la rive. Puis, tout en tenant le mât d'une main et la planche de l'autre, avancez dans l'eau, la proue en premier. La dérive aura été installée à terre ou sera posée dans l'eau. Dans ce dernier cas, étant donné que vous avez les mains occupées à tenir la planche, passez la poignée de dérive autour d'un bras pendant que vous faites la mise à l'eau.

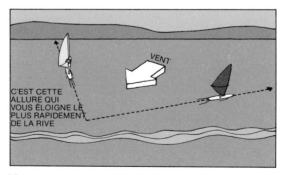

Notons que cette méthode de mise à l'eau s'adresse à ceux qui sont déjà sortis quelques fois et qui "sentent" leur planche. Avec cette technique, vous risquez cependant d'abîmer la planche sur le sable.

Il faut toujours choisir l'allure qui vous permet de vous éloigner le plus rapidement possible de la rive.

Comme nous venons de le voir, votre première sortie n'en sera que plus agéable si vous avez pris le temps de répéter les manoeuvres une à une, en commençant par une technique facile pou progresser vers les plus difficiles. C'est dans cet esprit qu'a été établie la liste suivante d'étapes à franchir:

1. sentir le vent et se tenir en équilibre sur la planche;
2. relever la voile et équilibrer le gréement;
3. orienter la planche dans une direction;
4. régler la voile et conduire la planche;
5. virer de bord et empanner.

Il est important de bien maîtriser une technique avant de passer à la suivante. Ce n'est que lorsque vous aurez assimilé chaque manoeuvre séparément, soit à terre soit sur l'eau, que vous pourrez songer à les combiner.

Préparation physique

La planche à voile requiert un effort physique assez intense. C'est pourquoi il serait sage, avant de passer à l'action, de faire quelques exercices pour échauffer et assouplir les muscles.

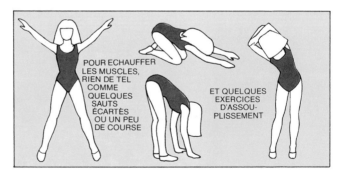

POUR ECHAUFFER LES MUSCLES, RIEN DE TEL COMME QUELQUES SAUTS ÉCARTÉS OU UN PEU DE COURSE

ET QUELQUES EXERCICES D'ASSOU-PLISSEMENT

Pour irriguer ces derniers, commencez par faire un peu de course sur place, des sauts jambes écartées ou des sauts tout simplement. Puis, faites quelques petits exercices d'assouplissement pour éviter les élongations musculaires. Le dessin ci-dessus illustre certains mouvements pour les bras, les épaules, les jambes et le bas du dos.

Cette période d'échauffement contribue aussi à la préparation mentale.

Au retour, il est bon de faire quelques petits exercices pour se détendre. Il faut se rappeler qu'il s'agit d'un entraînement léger et non d'une épreuve de force.

Adaptation au mouvement de l'eau

FAITES OSCILLER LA PLANCHE AFIN DE VOUS FAMILIARISER AVEC SON MOUVEMENT SUR L'EAU

Lors de votre première sortie, vous devrez d'abord apprendre à vous tenir en équilibre sur la planche sans le gréement, pour vous familiariser avec le mouvement de l'eau et avec l'embarcation. Pour connaître les réactions de cette dernière, vous la ferez bouger en marchant jusqu'à la proue, puis jusqu'à la poupe, et osciller d'un côté à l'autre. Votre but : parvenir à vous tenir droit, en équilibre et détendu.

Si le moindre mouvement de la planche vous effraie, il faut persévérer, ou alors utiliser une planche d'apprentissage jusqu'à ce que vous vous sentiez plus à l'aise sur l'eau.

Un bon équilibre dépend de trois facteurs principaux :

1. une planche de bonne qualité;
2. un corps droit;
3. le poids du corps concentré sur l'axe longitudinal de la planche.

La position d'équilibre est la suivante : pour mettre votre poids sur l'axe longitudinal, vous devrez écarter les pieds à la largeur des épaules et garder le corps droit et détendu.

Il est bon, lorsque vous apprenez à vous tenir en équilibre, d'adopter la position relative à chaque allure.

Il arrive que certaines personnes, en dépit d'innombrables essais, ne parviennent pas à se tenir debout sur une planche. Si c'est votre cas, nous vous suggérons de vous exercer sur une planche d'apprentissage que fournissent la plupart des écoles. Plus large et plus stable qu'une planche ordinaire, elle

vous aide à vous familiariser avec le mouvement de l'eau. Dès que vous vous sentirez plus à l'aise, retournez à votre embarcation pour juger de vos progrès. Si tout va bien, vous pourrez attacher votre gréement et monter sur la planche.

Comment monter sur la planche

À CHACUN SA MÉTHODE!

Il existe autant de façons de monter sur la planche qu'il y a de véliplanchistes. Mais en règle générale, il est recommandé de se mettre d'abord à genoux sur l'axe longitudinal, près du puits de dérive. Puis, vous pourrez vous lever en tenant le tire-veille, afin de garder votre équilibre.

Comment assembler le mât et le wishbone

Pour qu'il soit facile à tirer à partir du pied de mât, le tire-veille devrait être élastique ou relié par un petit sandow au mât ou à la bosse d'amure. Autrement, il faudra rabattre le mât sur la planche pour pouvoir le saisir.

Comment relever la voile

Pour éviter de se blesser le bas du dos, il est important d'adopter une bonne posture pour relever la voile de l'eau. Sur l'axe longitudinal, le pied avant posé juste devant le mât est légèrement tourné vers la proue; tandis que le pied arrière est placé en travers de l'axe, sur le puits de dérive. Les genoux sont fléchis et le dos est droit.

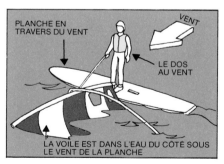

Avant de relever la voile, vous devrez réviser les points suivants :

1. la planche est en travers du vent;
2. la voile est du côté sous le vent;
3. vous êtes dos au vent, c'est-à-dire que vous regardez la voile.

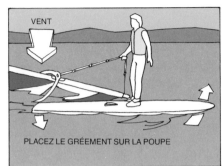

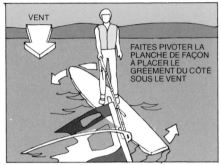

Si le gréement est du côté au vent de la planche, il faudra le ramener du côté favorable. Pour ce faire relevez le gréement un peu, de façon à appuyer le wishbone sur la coque, ceci fera tourner la planche et ramènera le gréement du côté sous le vent.

Relevez maintenant le gréement d'un mouvement à la fois lent et ferme pour permettre à l'eau de s'écouler et éviter de vous blesser le dos. La manoeuvre est sans risques si vous gardez le corps droit : ce sont les jambes qui servent de levier.

Lorsque la voile est à moitié relevée, placez vos mains l'une derrière l'autre sur le tire-veille, pour achever de la redresser. Il faut le faire prudemment, car à mesure qu'elle se vide de son eau la voile devient plus légère. Attention aux baignades forcées!

Il arrive que le vent fasse lofer la planche lorsque vous êtes en train de lever la voile. Pour détourner l'embarcation du vent ou la maintenir en travers de celui-ci, vous pourrez vous servir de vos pieds, en mettant plus de poids sur l'un que sur l'autre.

Comment tenir le gréement

Il vous reste maintenant à trouver la façon la plus confortable de tenir le gréement qui vous permettra de manoeuvrer la planche plus aisément.

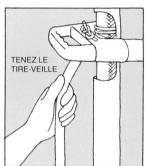
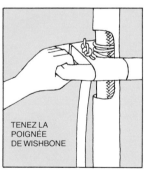
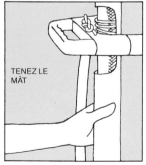

Si la poignée du wishbone constitue la meilleure façon de maîtriser le gréement, le mât offre également une bonne prise. Vous pouvez aussi vous servir du tire-veille. À vous de choisir!

Bien que nous ayons opté pour la méthode de la poignée dans les illustrations suivantes, les manoeuvres ne changent pas d'une technique à une autre. Par conséquent, si vous préférez une autre méthode que la nôtre, vous n'avez qu'à imaginer que votre main tient le mât ou le tire-veille.

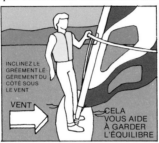

Pour tenir le gréement, fléchissez légèrement les bras. C'est une position confortable qui contribue à maintenir le gréement en équilibre sur lui-même et le point d'écoute de la voile hors de l'eau. Pour ne pas toujours avoir l'impression d'être sur le point de tomber, il est recommandé de tenir le gréement légèrement penché, du côté sous le vent de la planche.

Pour incliner ou tenir le mât, il faut tenter de garder l'extrémité du wishbone hors de l'eau, faute de quoi le vent entraînera toute la voile dans l'eau.

Les pieds sont sur l'axe longitudinal, de part et d'autre du mât. Le pied avant ne doit pas être trop en avant de celui-ci pour ne pas gêner l'inclinaison du gréement vers l'avant.

Comment faire pivoter la planche

Étudions les mouvements de la planche lorsque le gréement est incliné vers l'avant ou vers l'arrière.

Il est essentiel de garder le dos au vent, pour maîtriser l'embarcation. Vous vous déplacerez donc lentement autour du mât au fur et à mesure que la planche pivote.

Faites tourner la planche sur 360°, pour bien marquer chaque allure et réviser le virement de bord ainsi que l'empannage. Comme vous l'aurez constaté, plus vous inclinez le mât, plus

la planche pivote rapidement. Il vous faut donc effectuer cette manoeuvre prudemment, pour avoir le temps de contourner le mât et éviter ainsi de vous retrouver à l'eau.

Position de départ

Avant de partir, placez votre planche en travers du vent, en inclinant le gréement. La voile, pour sa part, se trouve du côté

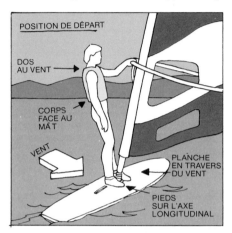

sous le vent de l'embarcation. Puis, pour maintenir la planche sur son allure, ramenez la voile en position neutre. Il faut vérifier ensuite les points suivants :

1. la planche est en travers du vent;
2. le corps fait face au mât, le dos au vent;
3. les pieds sont correctement placés.

Comment border la voile

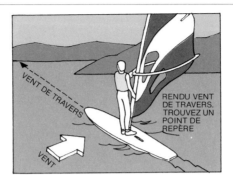

RENDU VENT
DE TRAVERS.
TROUVEZ UN
POINT DE
REPÈRE

VENT DE TRAVERS

VENT

Trouvez d'abord un point de repère sur la côte, vers où pointe la planche, pour bien marquer l'allure du vent de travers. Ça y est ? Nous allons maintenant vous montrer à border la voile.

Dans les pages suivantes, nous exposerons les deux méthodes les plus enseignées dans les écoles de planche à voile. Nous vous conseillons d'essayer les deux et de choisir celle que vous trouvez la plus facile.

Méthode de la poignée

Cette technique convient lorsque vous tenez le mât ou la poignée du wishbone. Elle s'effectue en quatre étapes :

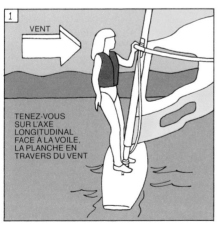

1

VENT

TENEZ-VOUS
SUR L'AXE
LONGITUDINAL
FACE À LA VOILE,
LA PLANCHE EN
TRAVERS DU VENT

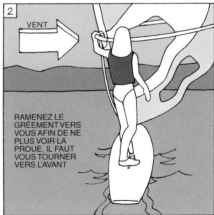

2

VENT

RAMENEZ LE
GRÉEMENT VERS
VOUS AFIN DE NE
PLUS VOIR LA
PROUE, IL FAUT
VOUS TOURNER
VERS L'AVANT

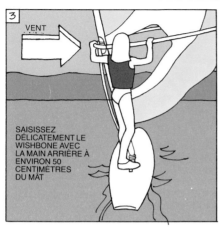

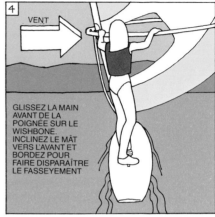

3 VENT — SAISISSEZ DÉLICATEMENT LE WISHBONE AVEC LA MAIN ARRIÈRE À ENVIRON 50 CENTIMÈTRES DU MÂT

4 VENT — GLISSEZ LA MAIN AVANT DE LA POIGNÉE SUR LE WISHBONE. INCLINEZ LE MÂT VERS L'AVANT ET BORDEZ POUR FAIRE DISPARAÎTRE LE FASSEYEMENT

1. Placez la planche en travers du vent.
2. Ramenez la voile devant vous:
   avec la main avant, placez la voile du côté au vent, de façon à ne plus voir la proue, ou du moins à ne l'apercevoir qu'à travers la fenêtre. Inclinez légèrement le mât du côté au vent de l'embarcation tout en vous efforçant de le garder en position neutre, afin de ne pas faire pivoter la planche. Pendant que vous inclinez le mât, tournez le torse pour voir la proue, le pied avant placé dans la même direction. Ainsi posé, le pied aide non seulement à maintenir la posture du corps, mais aussi à résister à la traction de la voile.
3. Agrippez le wishbone.
   Avec la main arrière, saisissez le wishbone à une distance d'environ une fois et demie la largeur de vos épaules du mât. Mais avant de border la voile, il faut d'abord tirer le wishbone vers soi et poser la main avant, qui se trouve sur le mât ou sur la poignée, sur lui, à environ 15 centimètres du mât.
4. Bordez!
   Les mains sur le wishbone, bordez fermement pour faire disparaître le fasseyement du côté avant de la voile. Lorsque vous bordez, inclinez légèrement le mât vers l'avant pour empêcher la planche de lofer. La main avant tient le mât droit, c'est-à-dire dans son plan longitudinal, pendant que la main arrière règle la voile soit en la bordant, soit en la choquant.

Posture de navigation

Quand vous bordez, le vent exerce une pression sur la voile, qui la fait s'éloigner de vous, d'où l'importance d'une bonne posture qui permet de résister à cette poussée. L'illustration ci-dessus indique les points à surveiller pour naviguer avec le plus d'aisance possible. Notons que la posture est la même pour les deux méthodes.

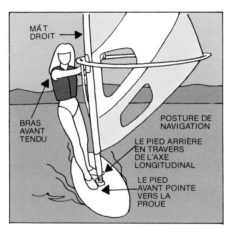

Méthode du croisement des mains

Cette méthode est semblable à la première, à la différence que vous devez saisir le wishbone en croisant les mains.

1. Placez la planche en travers du vent; les mains sur le tire-veille.
2. Faites passer la main avant par-dessus la main arrière, qui continue à tenir le tire-veille, pour saisir le wishbone à environ 10 centimètres du mât. Puis, enlevez la main arrière du tire-veille.

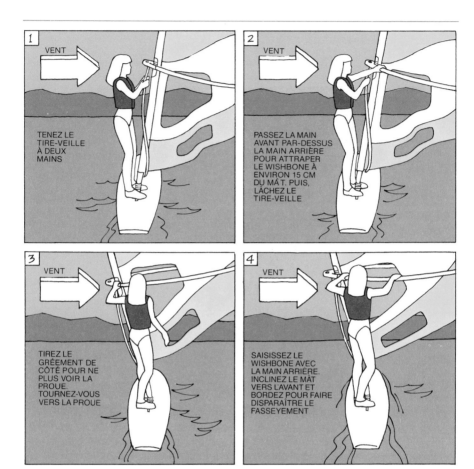

3. Ramenez le mât devant vous avec la main avant, en prenant soin de la maintenir en position neutre. Pendant cette manoeuvre, le corps est tourné vers la proue, de façon à ce que le bras avant soit plié, la main vis-à-vis de l'épaule.

4. Saisissez le wishbone à l'aide de la main arrière. Poussez ensuite le mât en avant et tirez avec la main arrière pour remplir la voile. Le corps est tourné vers la proue, la jambe avant sert de support pour résister à la pression du vent sur la voile.

Remarque

Les premières fois que vous borderez la voile, vous vous retrouverez déséquilibré vers l'avant soit parce que vous n'aurez pas prévu la poussée du vent contre la voile, soit parce que vous aurez trop bordé cette dernière.

Pour rectifier votre position, vous devrez choquer la voile, pour la dégonfler, avec la main arrière. Vous remettrez ensuite le mât droit, puis vous recommencerez à border. Il ne faut jamais choquer la voile avec la main avant, car cela la ferait tomber à l'eau.

Au largue

Au largue, vous tenez le wishbone de façon à ce que la voile se trouve au-dessus de l'eau. Pour résister à la poussée de la voile en avant, adoptez la posture indiquée ci-dessous : le corps tourné vers la proue, le bras avant tendu, et les épaules penchées vers l'arrière, pour rester en équilibre.

Pour maintenir l'allure, il faut mettre le wishbone à l'horizontale, c'est-à-die en position neutre. Il faut vérifier la limite du fasseyement afin que la voile soit toujours correctement bordée.

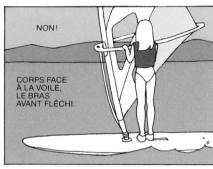

Conduite de la planche

Pour lofer

Vous savez maintenant que pour faire pivoter la planche, vous devez incliner le mât vers l'avant ou vers l'arrière, selon que vous voulez abattre ou lofer.

Pour lofer, vous devez incliner le gréement vers l'arrière. Pendant que la main avant le maintient dans son plan longitudinal, la main arrière borde légèrement la voile pour la garder remplie à mesure que la planche pivote vers le vent. Il faut prendre garde de trop incliner le gréement, pour éviter de se retrouver vent debout.

INCLINEZ LE
GRÉEMENT
VERS
L'AVANT PUIS
BORDEZ
LÉGÈREMENT

VENT

LA
PLANCHE
ABAT

VENT

VÉRIFIEZ LA
LIMITE DU
FASSEYEMENT

REMETTEZ LE
GRÉEMENT EN
POSITION
NEUTRE

VENT

Pour abattre

Vous devez incliner le gréement vers l'avant avec la main
avant, tandis que la main arrière s'occupera de border
légèrement la voile. Il faut veiller à ne pas trop incliner le
gréement, car vous risquez ainsi de vous retrouver en
déséquilibre, ce qui ferait pencher la voile du côté sous le vent
de la planche.

Pendant que la planche se détourne du vent, choquez la voile
pour la garder gonflée juste ce qu'il faut. Pour ne pas avoir à
vous pencher lorsque vous inclinez le mât, éloignez vos mains
du mât.

Quand une planche abat, la traction de la voile augmente,
aussi faut-il garder une bonne posture pour être capable
d'empêcher le mât de s'incliner de côté.

INCLINEZ LE GRÉE-
MENT VERS L'AVANT
DU CÔTÉ AU
VENT DE LA
PLANCHE

VENT

PENDANT QUE
LA PLANCHE
PIVOTE,
PLACEZ LES
PIEDS DER-
RIÈRE LE MÂT

VENT

LE CORPS
DROIT,
TENEZ LA
VOILE
PERPENDI-
CULAIRE
AU VENT

VENT

Posture : lorsque vous abattez pour vous placer vent arrière, posez les pieds de part et d'autre de l'axe longitudinal, légèrement éloignés du mât que vous inclinerez de côté.

Au près

Pendant que la planche lofe, bordez la voile avec la main arrière, de manière à ce que le point d'écoute de la voile se retrouve au-dessus du coin arrière, du côté sous le vent de la planche. Il ne faudra pas border davantage, autrement la planche s'arrêtera.

Dès que la voile se met à fasseyer, cela indique que la planche a trop lofé. Vous devrez donc, pour arrêter le frémissement, abattre légèrement, c'est-à-dire incliner le mât vers l'avant. Puis, vous replacerez le gréement en position neutre, pour maintenir le cap.

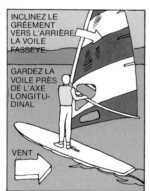

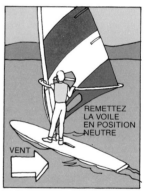

INCLINEZ LE GRÉEMENT VERS L'ARRIÈRE LA VOILE FASSEYE

GARDEZ LA VOILE PRÈS DE L'AXE LONGITU-DINAL

VENT

INCLINEZ LE GRÉEMENT VERS L'AVANT POUR ARRÊTER LE FASSEYEMENT

VENT

REMETTEZ LA VOILE EN POSITION NEUTRE

VENT

Posture : le corps est tourné vers la proue, le bras avant tendu. Cette position est beaucoup plus confortable que si vous étiez de côté, le bras avant plié.

Au début, vous aurez tendance à faire pivoter la planche au vent debout. Vous devrez alors agir promptement en inclinant le gréement vers l'avant. Il vous faudra ensuite border pour empêcher la planche de lofer davantage.

Au vent arrière

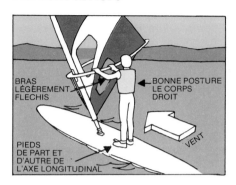

En partant du largue, inclinez le gréement vers l'avant. Puis, quand la planche se met à abattre, penchez le gréement du côté au vent, et placez vos pieds derrière le puits de dérive, de part et d'autre de l'axe longitudinal. Puis, placez la voile perpendiculaire au vent.

Le corps est droit, les bras légèrement fléchis. Vous pouvez même ramener un peu la voile vers vous. Vous serez ainsi plus confortable et aurez l'aisance nécessaire pour réagir aux rafales éventuelles.

L'empannage

Si vous voulez tourner pour revenir, l'empannage est la manoeuvre la plus facile.

Pour empanner, laissez aller la voile de la main arrière, pendant que la main avant tient la poignée ou le mât. Puis, inclinez le gréement vers l'avant, pour faire abattre la planche jusqu'à ce qu'elle se retrouve vent arrière. À ce moment, la main arrière remplace la main avant sur la poignée. Puis, continuez à incliner le gréement pour placer la planche vent de travers, sur l'autre amure.

Pendant que la planche tourne, placez vos pieds en fonction de l'allure choisie : cela vous aide à garder le dos au vent. Lorsque vous êtes rendu dans la direction voulue, bordez la voile.

Le virement de bord

C'est une méthode un peu plus difficile que l'empannage, parce que vous devez vous déplacer par l'avant du mât pendant que la planche pivote.

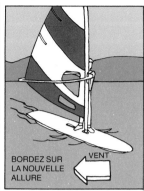

CONTINUEZ A
INCLINER LE GRÉEMENT   VENT
VERS L'ARRIÈRE

BORDEZ SUR   VENT
LA NOUVELLE
ALLURE

Laissez aller le wishbone de la main arrière, pendant que la main avant tient la poignée. Inclinez le gréement vers l'arrière, et quand la planche se met à pivoter, la main arrière remplace la main avant sur la poignée. Tout en gardant le dos au vent, placez-vous devant le mât, puis continuez à incliner ce dernier. Pour ne pas perdre l'équilibre, il est important de vous déplacer à petits pas, autour du mât. Lorsque vous êtes rendu en travers du vent, sur l'autre amure, préparez votre planche pour la prochaine allure, et bordez la voile.

À NE PAS FAIRE!
LES PIEDS DOIVENT
ÊTRE DEVANT LE
MÁT.

VENT

Lorsque vous vous déplacez autour du mât, vos pieds doivent être en avant de la base du pied de mât, autrement vous pourriez vous heurter une jambe en tentant de redresser le gréement et vous ne parviendrez peut-être pas à le relever suffisamment pour empêcher la voile de traîner dans l'eau.

Il faut, pour réaliser un virement de bord ou un empannage, tenir le mât ou la poignée. Ceci, en plus de vous donner une meilleure maîtrise du gréement, vous permet d'adopter la position adéquate pour tenir le gréement sur la nouvelle amure.

Changement de la direction du vent

Le vent change constamment de direction. Ces changements sont tantôt imperceptibles, tantôt marqués. Ainsi, vous êtes en train de naviguer allègrement quand, soudain, sans que vous ayez fait quoi que ce soit, votre allure change. Que s'est-il passé? Le vent a tourné!

Voyons un peu ce qui arrive lorsque le vent tourne . . .

UNE RAFALE SURVIENT, FAISANT PENCHER LE VÉLI-PLANCHISTE

VENT ORIGINAL

VENT NOUVEAU

LA MAIN ARRIÈRE LÂCHE LE GRÉEMENT

VENT

REMETTEZ LE MÂT DROIT ET AJUSTEZ LA PLANCHE AU NOUVEAU VENT

VENT

1. Le vent se déplace vers le travers de la planche. La voile se gonfle davantage et sa traction augmente. Si vous n'y êtes pas préparé, cette nouvelle poussée vous fera pencher vers le côté sous le vent de la planche. **Pour corriger la situation,** choquez la voile avec la main arrière, de manière à la dégonfler et à en diminuer la traction. Ramenez ensuite le mât à la verticale et bordez de nouveau.

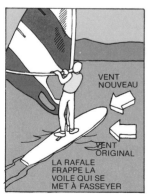

VENT NOUVEAU

VENT ORIGINAL

LA RAFALE FRAPPE LA VOILE QUI SE MET À FASSEYER

VENT

INCLINEZ LE GRÉEMENT VERS L'AVANT ET BORDEZ

VENT

RÉGLEZ LA VOILE

2. Le vent tourne vers la proue. La voile se dégonfle et fasseye; sa traction diminue au point de vous faire tomber à la renverse. Pour vous remettre debout, bordez la voile avec votre main arrière, de façon à la regonfler. L'autre solution consiste à incliner rapidement le gréement vers l'avant, tout en bordant, pour détourner la planche de la nouvelle direction du vent. Pour obtenir un résultat optimal, combinez les deux méthodes.

Mais peu importe la solution adoptée, il faut avant toute chose mettre votre poids sur vos pieds le plus rapidement possible, en pliant les genoux.

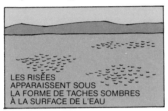

LES RISÉES APPARAISSENT SOUS LA FORME DE TACHES SOMBRES À LA SURFACE DE L'EAU

Un changement de la direction du vent peut être «déboussolant» pour un débutant. C'est pourquoi nous vous déconseillons d'apprendre avec une brise de terre, à cause de son instabilité et de sa violence. Avec le temps, vous deviendrez capable de déceler le changement en observant la surface de l'eau et de vous préparer en conséquence.

La meilleure façon de tomber à l'eau . . .

Vous êtes sûrement tombé à l'eau au moins une fois depuis le début. Allons, avouez-le! Toutefois, si cela ne vous est pas encore arrivé, voici quelques conseils sur la meilleure façon de tomber.

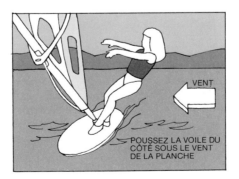

VENT

POUSSEZ LA VOILE DU CÔTÉ SOUS LE VENT DE LA PLANCHE

Si vous «plongez», il faudra absolument relever le mât . . . à moins que vous ne décidiez de rentrer à la nage. Donc, lorsqu'une chute devient inévitable, il vaut mieux jeter le gréement du côté favorable, c'est-à-dire du côté sous le vent de la planche. Bien que la plupart des chutes se produisent de ce côté, il vous arrivera de tomber du côté au vent. Dans ce dernier cas, il vous faudra pousser la voile loin de vous, pour la faire tomber de l'autre bord. Si, malgré vos efforts, la voile

tombait du même côté que vous, vous pourrez vous en dégager en saisissant le mât pour éloigner la voile. Veillez aussi à vous protéger la tête avec un bras, pour ne pas vous faire assommer par le mât.

Il faut tout faire pour que le mât tombe du côté sous le vent. Cela vous aide à relever le gréement et, par conséquent, à vous remettre en route plus rapidement.

Nous espérons que ces conseils sont bien tombés . . .

Perfectionnement technique

Vous êtes maintenant capable de naviguer sur toutes les allures. De plus, vous savez virer de bord et empanner selon la méthode de la poignée ou celle du mât. Reste à perfectionner vos techniques de navigation par petit temps.

Le virement de bord

Virer de bord selon la méthode de la poignée, du mât ou du croisement des mains, c'est bien . . . pour apprendre. Il existe toutefois d'autres techniques plus efficaces et plus rapides que vous êtes maintenant en mesure d'exécuter.

Ainsi, pour faire lofer rapidement la planche, vous pourrez incliner davantage le mât vers l'arrière, tout en vous efforçant de garder la voile pleine. Toutefois, cette manoeuvre présente l'inconvénient d'augmenter la traction de la voile, ce qui peut faire tomber le mât à l'eau du côté sous le vent. Pour éviter que cela ne se produise et mieux maîtriser le gréement, saisissez le mât avec la main avant, à environ 30 centimètres sous le wishbone, tout en posant le pied correspondant devant le mât, en travers de la planche.

Bordez ensuite la voile, pendant que la planche pivote, sans que le gréement dépasse l'axe longitudinal. À ce moment, inclinez légèrement le gréement du côté sous le vent de la planche, pour augmenter la puissance de rotation. L'embarca-

tion lofera encore plus rapidement si vous vous appuyez sur le pied arrière.

Tandis que la planche lofe, déplacez-vous autour du mât pour l'attraper avec votre nouvelle main. Ramenez ensuite le gréement devant vous, mât du côté au vent, tout en l'inclinant vers l'avant. Puis, reprenez le wishbone, tour à tour avec la main arrière et la main avant, et bordez le gréement toujours penché vers l'avant pour empêcher la planche de lofer davantage.

Cette technique, en plus de vous aider à connaître la capacité de la planche à serrer le vent, améliore votre perception du vent.

Il sera plus facile de maîtriser le gréement si vous tenez le mât avec une main, et de garder votre équilibre si vous écartez légèrement les jambes, le pied avant posé devant le mât.

Autres points à surveiller :

- une planche qui lofe plus rapidement exige une réaction plus prompte de votre part;
- une voile trop bordée, c'est-à-dire qui a dépassé l'axe longitudinal, ralentit la planche et la rend difficile à manoeuvrer. Il est donc préférable de changer d'amure et de recommencer à border;
- lorsque vous vous déplacez autour du mât, ne faites pas plus de deux ou trois pas en gardant toujours vos pieds près de l'axe longitudinal.

Pour vraiment bien maîtriser cette technique, nous vous recommandons de l'exécuter en louvoyant, c'est-à-dire en passant d'une amure à l'autre, au près.

L'empannage

REPOUSSEZ LE MÂT AVEC LA MAIN ARRIÈRE — VENT

VENT — PENDANT QUE LA VOILE PIVOTE, CHANGEZ DE MAIN SUR LE MÂT

VENT — SAISISSEZ LE WISHBONE ET BORDEZ

Au vent arrière, inclinez le gréement du côté du mât et laissez aller le wishbone de la main arrière, pendant que la main avant tient le mât.

- Pendant que la voile pivote au-dessus de la proue, inclinez lentement le mât avec la nouvelle main avant, de sorte qu'il se trouvera penché de l'autre côté lorsque la voile sera rendue perpendiculaire au vent.
- Posez d'abord la main arrière sur le wishbone, puis la main avant. Il n'est pas nécessaire de bouger les pieds si la planche pivote à peine. Par contre, lorsque vous changez d'allure vous devez placer un pied en avant et l'autre, en travers de la planche.

L'empannage ne requiert aucun effort physique, du fait que c'est le poids de la voile qui entraîne le gréement vers l'autre bord lorsque vous l'inclinez de côté. Il ne reste donc qu'à attraper le wishbone lorsqu'il arrive. Exécutez la technique en vous tenant sur l'arrière de la planche, de façon à pouvoir pencher le gréement vers vous, afin de diminuer la traction du vent et d'être plus à l'aise pour manoeuvrer.

Arrêt de la planche
La méthode d'arrêt de la planche consiste habituellement à laisser fasseyer la voile. Jeter celle-ci à l'eau est aussi une technique efficace, mais peu recommandable en lieux très fréquentés.

La meilleure méthode consiste à placer la voile «à contre». Pou. ce faire, repoussez la voile avec la main arrière tout en inclinant légèrement le mât du côté au vent. Il faut veiller à bien se tenir pour résister à la poussée du vent contre la voile.

Cette technique s'avère pratique sur les plans d'eau encombrés. Nous vous recommandons de vous y exercer pour être capable d'arrêter à n'importe quel moment.

Problèmes fréquents

Les débutants se mettent souvent dans des situations si singulières, que nous avons préféré nous limiter à des problèmes généraux. Si vous ne trouvez pas réponse à vos questions ici, veuillez consulter les sections précédentes où nous avons exposé quelques difficultés.

«Ma planche a tendance à lofer.»

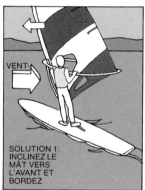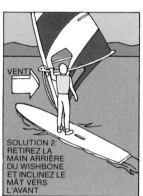

Votre voile n'est probablement pas assez bordée, ou peut-être avez-vous incliné le mât vers l'arrière sans vous en apercevoir. Il y a deux solutions au problème :
a) vous pouvez incliner le gréement vers l'avant et ensuite border;
b) vous pouvez aussi retirer la main arrière de la bôme et incliner le gréement vers l'avant, jusqu'à ce que la planche se retrouve vent de travers. Puis vous repartez.

«Je me fais souvent pousser en avant.»
Si vous vous faites projeter pendant que la planche abat ou lorsqu'une rafale vient frapper l'embarcation, cela signifie habituellement que la voile est trop bordée ou que le mât est incliné sous le vent.

Dans un cas comme dans l'autre, vous devrez retirer la
main arrière du wishbone, puis ramener le mât à la verticale, avant de reprendre votre allure. Il faut garder le mât le
plus droit possible, voire légèrement penché du côté au
vent de la planche.

«Je perds souvent l'équilibre.»
Si vous vous retrouvez à l'eau plus souvent que sur la
planche, voici quelques suggestions pour ne pas perdre
pied :
-gardez les pieds près de l'axe longitudinal
(élémentaire . . .);
-servez-vous de votre mollet et de votre cheville pour vous
tenir en équilibre;
-gardez le corps droit. Si vous vous penchez en avant, le
centre de gravité se déplacera dans le même sens;
-ne vous appuyez pas sur le gréement, qui doit être en
équilibre sur lui-même.

«Que faire quand je ne sais plus quoi faire ?»
Lors de la première sortie, il arrive souvent de se sentir
démuni face à l'environnement nautique. Il faut alors s'arrêter, laisser tomber la voile dans l'eau, passer en revue ce
qu'il y a à faire, regarder autour de soi pour savoir où l'on
se trouve . . . et penser à ce livre . . .

L'épuisement aggrave la situation. En effet, si vous éprouvez des difficultés à manoeuvrer la planche et si vous passez le plus clair de votre temps à l'eau, vous vous fatiguerez
très vite. Nous vous recommandons de vous reposer de
temps en temps, question de refaire vos forces. Si vous
vous sentez fatigué, il vaut mieux rentrer et faire des exercices, ou marcher tout simplement. Il ne sert à rien de continuer à naviguer lorsque vous êtes épuisé, car en ayant
moins de coordination et de force, vous apprenez moins
vite que si vous étiez frais et dispos.

Retour au bercail

La première précaution à prendre, lorsque vous regagnez la rive, est de veiller à ne pas blesser les baigneurs . . . du moins ceux qui restent!

Avec une dérive pivotante, vous pouvez vous rendre directement sur la rive. Toutefois s'il s'agit d'une planche munie d'une dérive sabre, il faudra vous arrêter en eau peu profonde et sauter de l'embarcation. Au moment de sauter, tenez le mât

SAISISSEZ LE MÂT ET LA PLANCHE

TOURNEZ-VOUS

LA VOILE PIVOTE

SORTEZ DE L'EAU À RECULONS

avec la main avant et jetez la voile dans l'eau. Détachez ensuite le gréement. Puis sortez la planche de l'eau et placez-la sur la plage, de façon à ne nuire à personne. Retournez chercher le gréement. Il faut prendre soin de relâcher la bosse d'amure et la ligne arrière pour empêcher la voile de s'étirer démesurément.

Si vous avez l'intention de sortir de nouveau dans la même journée, vous pourrez laisser la planche et le gréement attachés ensemble. Sortez alors la planche de l'eau à reculons, en ayant pris soin auparavant de l'avoir retournée sur sa tranche.

Comment dégréer

La voile a été mise à sécher. Profitez de ce répit pour faire quelques exercices d'assouplissement et de détente pour les jambes, le bas du dos ainsi que les épaules. Puis, quand la voile est sèche, emballez votre matériel selon le moyen de transport ou l'espace de rangement dont vous disposez.

Une bonne façon d'emballer le gréement consiste à retirer les lattes des goussets, à détacher ensuite la ligne arrière, puis à rouler la voile dans le sens de la chute.

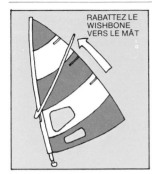

RABATTEZ LE WISHBONE VERS LE MÂT

ENLEVEZ LES LATTES ET ROULEZ À PARTIR DE LA CHUTE

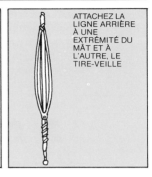

ATTACHEZ LA LIGNE ARRIÈRE À UNE EXTRÉMITÉ DU MÂT ET À L'AUTRE, LE TIRE-VEILLE

Attachez ce rouleau au moyen de la ligne arrière et de la bosse d'amure, sans toutefois enlever le wishbone. Mettez ensuite la voile dans son sac à voile protecteur conçu pour la recueillir roulée de cette façon pour le transport.

ROULEZ LA VOILE SUR LE MÂT ET ATTACHEZ LE WISHBONE SUR LE ROULEAU AVEC LE TIRE-VEILLE ET LA LIGNE ARRIÈRE

Une autre méthode consiste à enlever le wishbone du mât, à rouler ensuite la voile à partir de ce dernier et à attacher le wishbone sur le rouleau. On préfère cette méthode parce que la voile est ainsi moins froissée que dans le premier cas. Si elle est mouillée, il n'est pas recommandé de la laisser roulée pendant plus de deux jours, faute de quoi elle moisira.

Comment plier la voile

RABATTEZ LA LAIZE INFÉRIEURE VERS LE HAUT

ESSAYEZ DE NE PAS PLIER LES FENÊTRES

PLIEZ LA VOILE EN LAIZES VERS LE BAS

CE QUI DONNE CECI

ROULEZ LA VOILE À PARTIR DU POINT D'ÉCOUTE ET RANGEZ-LA DANS UN SAC À VOILE À L'ABRI DE LA LUMIÈRE

Si vous avez l'intention de ranger votre voile pour un certain temps ou de parcourir de longues distances avec votre matériel, il vaut mieux retirer le mât de la voile et plier celle-ci séparément. Pour ce faire, vous commencerez par plier le bas, pour ensuite rabattre les laizes vers la bordure, en prenant soin de ne pas plier les fenêtres.

Si vous transportez votre planche sur le toit de votre voiture, veuillez consulter la section «SÉCURITÉ» pour connaître la bonne façon d'attacher la planche.

Encore des conseils . . .

• Il est préférable de plier la voile sur l'herbe plutôt que sur le sable ou le ciment, pour ne pas user les fibres du tissu.

• Si vous naviguez en eaux salées, il faut rincer la voile à l'eau douce après chaque sortie.

• Il est important d'inscrire votre nom sur tout (le matériel, bien sûr!).

• Pour ranger une planche à voile, que ce soit à la maison ou au club nautique, il faut déposer la coque sur sa tranche ou sur son tableau arrière, pour l'empêcher de se déformer.

Chapitre 3

Le gilet de sauvetage homologué par le ministère des Transports

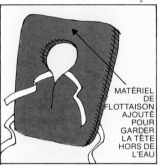

MATÉRIEL
DE
FLOTTAISON
AJOUTÉ
POUR
GARDER
LA TÊTE
HORS DE
L'EAU

Le ministère des Transports oblige les véliplanchistes, de même que tous les autres plaisanciers, à porter constamment, ou du moins à avoir à bord de leur embarcation, un gilet de sauvetage ou un vêtement de flottaison individuel homologués.

Le gilet de sauvetage présente l'avantage de vous faire flotter et de maintenir votre tête hors de l'eau même lorsque vous êtes inconscient. Toutefois, parce qu'il gêne les mouvements, les véliplanchistes préfèrent le vêtement de flottaison individuel (VFI) plus seyant et plus confortable.

Le vêtement de flottaison individuel (VFI) homologué par le ministère des Transports

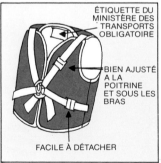

ÉTIQUETTE DU
MINISTÈRE DES
TRANSPORTS
OBLIGATOIRE

BIEN AJUSTÉ
A LA
POITRINE
ET SOUS LES
BRAS

FACILE À DÉTACHER

Bien que le VFI vous permette de flotter, il n'est cependant pas conçu pour maintenir votre tête hors de l'eau lorsque vous êtes inconscient. Il a toutefois d'autres qualités. Ainsi, en plus d'être confortable, il vous protège du vent et du froid. Certains VFI ont un harnais incorporé pour les sorties par gros temps.

Points à surveiller à l'achat d'un VFI

1. Il sera bien ajusté à la poitrine et sous les bras sans toutefois gêner les mouvements.
2. Il a une étiquette d'approbation du ministère des Transports qui indique s'il convient au poids de l'utilisateur. Ce dernier point est très important, étant donné que d'autres pays ont des normes inférieures quant à la quantité de matériel de flottaison contenue dans un VFI.
3. Il est en bon état.
4. Le VFI à harnais incorporé doit être muni d'un système permettant de dégager rapidement le harnais lorsque les cordages sont emmêlés.

Les poches sur un VFI, bien que facultatives, sont très utiles.

Si vous voulez obtenir des renseignements supplémentaires sur la sécurité aquatique et sur les règlements du ministère des Transports, vous pouvez vous adresser au directeur régional de la garde côtière, au centre local de recherche et de sauvetage.

L'habillement

En planche à voile, le corps est en contact constant avec les éléments dont l'humeur peut être bien changeante. Ainsi, une journée chaude et ensoleillée se transformera en un cauchemar de froid et d'humidité si vous n'êtes pas habillé pour affronter les intempéries. Il est recommandé de toujours consulter les rapports météorologiques locaux avant de sortir, et de ne jamais sous-estimer la fraîcheur de l'air et de l'eau.

Navigation par temps froid et humide

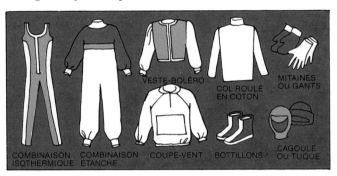

Pour naviguer par temps froid ou pluvieux, il existe un grand nombre de vêtements qu'on peut combiner à volonté. Ainsi, par temps frais, vous commencerez par mettre une combinaison isothermique genre salopette. Puis, selon l'intensité du froid, vous pourrez endosser un coupe-vent ou une veste-boléro en néoprène. Rappelez-vous que sur l'eau et surtout lorsque vous êtes mouillé. il fait toujours plus froid qu'à terre. Les frileux mettront en plus un chandail à col roulé en coton. Il faut éviter de porter de gros chandails de laine et d'autres vêtements absorbants, car ils sont lourds et empêchent de nager lorsqu'ils sont mouillés.

Nouvelle venue dans la garde-robe du véliplanchiste, la combinaison étanche est un vêtement d'une pièce à l'épreuve de l'eau et du froid. Elle n'offre cependant aucune flottabilité. Il vous faut donc veiller à ce qu'elle ne soit pas percée, sans quoi elle se remplira d'eau et, en plus de vous exposer au froid, elle vous empêchera de nager, d'où l'importance de porter un bon VFI par-dessus.

Pour être encore mieux protégé lorsque vous naviguez en eaux froides, vous pouvez mettre une combinaison isothermique sous le vêtement étanche.

Pour déterminer si vous devez porter ou non des bottillons, mettez les pieds dans l'eau pendant une ou deux minutes pour juger de sa température.

Par temps frais, au début du printemps par exemple, un coupe-vent noué autour de la taille s'avère une addition légère mais combien utile lorsque des nuages apparaissent et viennent rapidement abaisser la température. Au sortir de l'hiver, les premiers jours de printemps peuvent sembler plus chauds qu'ils ne le sont en réalité. Il est donc préférable de vous habiller trop que pas assez. Autrement dit, «mieux vaut prévenir que guérir».

Navigation par temps chaud et ensoleillé
Pour naviguer longtemps sans risque d'insolation ou de déshydratation, il faut savoir se protéger de la chaleur intense et des rayons de soleil brûlants.

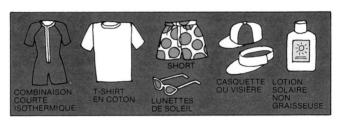

Voici les objets indispensables à votre promenade par une journée chaude et ensoleillée : des vêtements pâles, une visière ou un chapeau, des lunettes de soleil et une lotion solaire non graisseuse, pour ne pas rendre votre planche glissante.

Bien que cela semble paradoxal, la déshydratation est un véritable problème en sports nautiques. Ainsi, en planche à voile, le corps élimine beaucoup d'eau à cause des rayons de soleil directs et de ceux qui sont réfléchis, du facteur d'assèchement du vent ainsi que de l'eau perdue par l'effort physique. Il est donc fortement recommandé de boire régulièrement beaucoup de liquides, à raison d'un demi-litre par heure, surtout par temps très chaud.

L'hypothermie

Qu'est-ce que l'hypothermie ? Quelle en est la cause et comment peut-on en minimiser les dangers ?

L'hypothermie, c'est un abaissement de la température du corps dû à une exposition au froid ou à un séjour prolongé dans l'eau froide. Ainsi, lorsqu'il est immergé dans une eau à moins de 20°C, le corps ne peut reproduire sa chaleur aussi vite qu'il la perd, ce qui entraîne une chute rapide de sa température.

Les symptômes et les signes
Au premier stade, les mains et les pieds réagissent à la perte de chaleur en resserrant leurs capillaires, d'où un engourdissement aux doigts et aux orteils. Une diminution des forces et de la mobilité apparaissent aussi.

Le deuxième stade se manifeste par un grelottement incoercible et une pâleur du visage. Un bredouillement et de la confusion apparaissent ensuite. La victime aura les lèvres bleuies.

En dernier lieu, les paupières seront dilatées; la peau, bleuie. La personne est alors inconsciente.

Quand cela arrive :

1. restez sur votre planche;
2. maintenez-vous le plus possible hors de l'eau;
3. pour ne pas continuer à perdre de la chaleur, pliez les bras de manière à placer vos mains contre les aisselles;
4. faites des signaux de détresse. Ne laissez pas la victime seule, car elle pourrait mettre sa vie en danger dans un moment de confusion.
5. si vous ne pouvez regagner la rive, enveloppez la victime dans sa voile en attendant du secours.

ENLEVEZ LA VOILE DU MÂT. ATTACHEZ CE DERNIER AVEC LE WISHBONE ET ASSEYEZ-VOUS SUR LA POUPE, LE WISHBONE SUR UN GENOU. ENVELOPPEZ-VOUS DANS LA VOILE, LA FENÊTRE PAR-DESSUS LA TÊTE.

Premiers soins
Si c'est possible, appelez un médecin.

1. Réchauffez la victime LENTEMENT.
   Lorsque vous réchauffez une victime d'hypothermie, du sang plus froid provenant des extrémités se met à circuler à travers le corps, abaissant ainsi de façon temporaire la température corporelle à un niveau encore plus dangereux et même fatal si le réchauffement était trop rapide.
2. Débarrassez la victime de ses vêtements mouillés et enveloppez-la dans des couvertures chaudes où, pour accélérer le réchauffement, une autre personne pourrait également se glisser.
3. Ne faites jamais boire d'alcool à la victime, mais plutôt des boissons chaudes et sucrées.

Navigation en équipe

Les joies sans conteste de la navigation en solitaire au large, loin de tous les soucis, n'ont d'égal que les dangers que cela comporte. C'est pourquoi nous vous recommandons de naviguer en équipe. Si quelque chose vous arrive, votre équipier pourra vous aider ou aller chercher du secours. Selon la situation, adoptez la solution qui vous convient le mieux. Ainsi, par temps très mauvais, il est préférable de regagner la rive en prenant la personne en remorque plutôt que de la laisser seule sur l'eau.

Voici les solutions possibles à une situation de détresse:

* Autosauvetage : n'hésitez pas à abandonner votre gréement (pas la planche!), si nécessaire;
* Prise en remorque par votre équipier;
* Navigation à couple : recommandée seulement pour de courtes distances;
* S'il n'y a pas de danger imminent, votre équipier peut aller chercher du secours. N'appliquez cette solution qu'en dernier recours;
* Signal de détresse.

Techniques d'auto sauvetage

Voilà que le vent tombe ou que la voile se déchire . . .
Vous êtes seul. Avec une technique d'autosauvetage, vous serez en mesure de regagner la rive par vos propres moyens. Il est donc très important de bien répéter la technique classique, qui sert de base à beaucoup d'autres méthodes.

1. Technique d'autosauvetage classique
a) Retirez le mât de son emplanture, ou dénouez la bosse d'amure pour le séparer de la planche.
b) Détachez la ligne arrière et rabattez le wishbone sur le mât.
c) Roulez la voile à partir de sa bordure, pour ne pas avoir à enlever les lattes. Attachez ensuite chaque extrémité du rouleau avec la ligne arrière et la bosse d'amure.
d) Posez le gréement sur la planche de façon à ce qu'il ne traîne pas dans l'eau, pour éviter toute résistance lorsque vous ramerez jusqu'à la rive à genoux ou étendu sur la planche.
e) Traversez les vagues, le vent et, s'il y a lieu, le courant en diagonale.

2. **Vous pouvez ramer avec la dérive,** solution par excellence lorsque l'eau est froide ou agitée.

3. **Vous pouvez ramer avec le mât à la manière d'un pagayeur,** en position assise ou debout. C'est une méthode pratique lorsque vous vous retrouvez dans une accalmie.

4. **a)** **Bris du joint de cardan:** mettez le gréement à l'envers, la tête du mât dans l'emplanture. Votre main avant équilibre le gréement, pendant que votre main arrière tient la bordure de la voile et la règle normalement. C'est une technique amusante que vous pouvez utiliser, avec un peu d'entraînement, sur presque toutes les allures, ainsi que pour virer de bord et empanner, par petit temps.

b) **Vous pouvez aussi rattacher le joint de cardan brisé** au moyen de la bosse d'amure ou d'un cordage de rechange que vous ferez passer par l'oeillet de la ligne de sécurité sur la planche.

5. La méthode de sauvetage la plus rapide pour se tirer
d'une accalmie ou s'éloigner d'un endroit encombré consiste à
placer la voile sur l'arrière de la planche, puis à ramer.

**6. Vous pouvez également vous laisser dériver vers la
terre,** avec un vent du large ou en travers de la rive. Pour ce
faire, tenez la poignée du wishbone, le mât ou le tire-veille et
laissez fasseyer la voile devant vous, à la manière d'un drapeau qui
flotte.

Le signal de détresse

Il existe plusieurs façons de signaler votre détresse soit à l'aide
du signal international, d'une fusée éclairante, d'un clignotant,
d'un sifflet, de votre voix. Demandez du secours dès que vous
ressentez du froid, de la fatigue ou qu'une pièce est brisée.
Attendre à la dernière minute ne fait qu'aggraver la situation
et rend la tâche des sauveteurs plus difficile.

Le remorquage

Vous êtes trop fatigué, ou vous avez trop froid, pour regagner
la rive par vos propres moyens. La solution : faites-vous remorquer par quelqu'un d'autre. C'est une technique que vous
devez apprendre afin d'être capable de vous débrouiller sans
l'aide d'un bateau plus gros. Il existe plusieurs méthodes
parmi lesquelles vous choisirez celle qui convient le mieux à
une situation donnée.

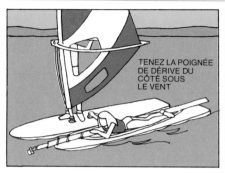 

1. Le remorqué aura d'abord préparé son gréement selon la méthode d'autosauvetage classique. Puis, le sauveteur attachera, avec un noeud de chaise, une extrémité du cordage de rechange ou de ligne arrière à la poignée de dérive ou autour du pied du mât. L'autre bout sera attaché soit à l'anneau de remorquage, soit au pied de mât de l'autre planche, ou sera tenu par le remorqué.

2. S'il n'y a pas de cordage disponible, le remorqué placera sa planche parallèle à celle du sauveteur et agrippera la poignée de dérive pour regagner ainsi la terre. Notons que cette méthode requiert beaucoup d'énergie et n'est recommandée que pour les courtes distances.

Respiration artificielle ou bouche-à-bouche

Être capable de pratiquer la respiration artificielle peut s'avérer une connaissance précieuse, surtout lorsque vous vous retrouvez seul avec une victime d'asphyxie.

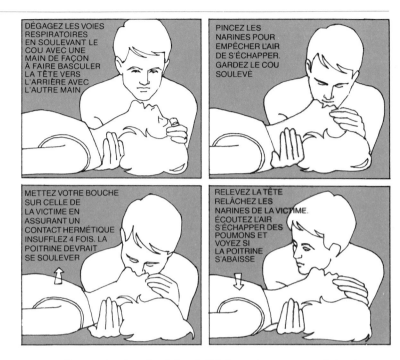

DÉGAGEZ LES VOIES RESPIRATOIRES EN SOULEVANT LE COU AVEC UNE MAIN DE FAÇON À FAIRE BASCULER LA TÊTE VERS L'ARRIÈRE AVEC L'AUTRE MAIN

PINCEZ LES NARINES POUR EMPÊCHER L'AIR DE S'ÉCHAPPER. GARDEZ LE COU SOULEVÉ

METTEZ VOTRE BOUCHE SUR CELLE DE LA VICTIME EN ASSURANT UN CONTACT HERMÉTIQUE INSUFFLEZ 4 FOIS. LA POITRINE DEVRAIT SE SOULEVER

RELEVEZ LA TÊTE RELÂCHEZ LES NARINES DE LA VICTIME. ÉCOUTEZ L'AIR S'ÉCHAPPER DES POUMONS ET VOYEZ SI LA POITRINE S'ABAISSE

En ayant pris soin d'abord d'éloigner la personne de toute source de danger, commencez immédiatement la réanimation,

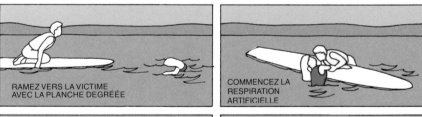

RAMEZ VERS LA VICTIME AVEC LA PLANCHE DEGRÉÉE

COMMENCEZ LA RESPIRATION ARTIFICIELLE

FAITES BASCULER LA PLANCHE TENEZ LES POIGNETS DE LA VICTIME

REMETTEZ LA PLANCHE DU BON CÔTÉ À L'AIDE DES GENOUX.

avant même de hisser la victime sur la planche. Quand il y a arrêt respiratoire, chaque seconde compte!

Si vous trouvez quelqu'un dans l'eau, servez-vous de votre planche pour le secourir et lui donner la respiration artificielle. Approchez-vous de la victime, avec la planche dégréée, et commencez aussitôt le bouche-à-bouche. Ce n'est qu'après l'étape 2 que vous pourrez hisser la personne à bord en faisant basculer la planche. Ensuite, faites le signal de détresse tout en vous réchauffant un peu.

Connaître ses limites

Au début, vous n'oserez pas trop vous éloigner de la rive, mais dès que vous vous sentirez plus en confiance, l'ambition et le goût de l'aventure prendront le dessus. Naviguer au large peut être un défi très stimulant pourvu que vous soyez capable de regagner la rive sain et sauf! Ainsi, que feriez-vous si le temps se gâtait ou s'il se refroidissait? Et si le vent se mettait à souffler de la terre? Vous pourriez trouver le voyage de retour pénible, et plus vous serez fatigué, moins vous serez capable de conduire correctement votre planche. Attention également à la brume!

C'est un pensez-y-bien . . .

L'état de votre matériel

Inspection du matériel

Une brève inspection de votre matériel avant de sortir peut vous épargner des heures de frustration à essayer de vous dépanner par vos propres moyens ou à réparer la cassure.

Vérifications

1. **Le boulon du joint de cardan** est-il bien vissé? Le plastique ou le caoutchouc qui l'entoure est-il fendu?
2. **Les vis** de la base du pied du mât, de la poignée de la dérive et de l'aileron sont-elles bien serrées?
3. **La voile** est-elle usée ou déchirée à certains endroits? Petite déchirure deviendra grande...
4. **Le boulon de la ligne de sécurité**, dans la planche, est-il bien vissé; la boucle de la ligne autour du mât, solide?

Si la planche est pourvue de cale-pieds, ces derniers devraient être juste assez larges pour retenir le bout des pieds. Vous éviterez ainsi de vous tordre les chevilles lorsque vous tomberez à l'eau.

Matériel supplémentaire

Voici quelques objets qui pourraient s'avérer très utiles en cas d'urgence ou de bris de matériel. Vous pourrez les insérer dans le mât ou, en ce qui concerne les cordages, les enrouler autour du wishbone.

1. **Un cordage de rechange**: il sera d'au moins un mètre et servira à remplacer une ligne brisée ou à relier temporairement le gréement au joint de cardan ou à la planche.
2. **Une fusée éclairante**: elle doit être mise dans un sac étanche.
3. **Un miroir**: il sert à attirer l'attention.
4. **Un sifflet.**
5. **Un canif.**

Transport de votre planche

Veiller à la sécurité des gens et à l'entretien de votre planche à voile, ça commence sur le toit de votre voiture. Combien d'histoires avons-nous entendues sur des planches, des bateaux qui s'envolaient du toit de l'auto, parfois même avec le support, et qui allaient rebondir sur l'autoroute? Cela ne risque pas de vous arriver, si vous suivez les petits conseils suivants.

D'abord, le support sera de bonne qualité. Il ne doit ni glisser ni bouger. Vous devez en remplacer toute partie abîmée, comme les attaches, le caoutchouc, les boulons, voire changer de support, s'il est trop endommagé. Les boulons seront bien serrés. Le support et le matériel seront fixés avec une ligne de sécurité (une corde qu'on passe à travers l'auto fera l'affaire). Tout doit être solide. Pour protéger la planche ainsi que la voiture des bosselures et des égratignures, rembourrez les barres du support avec du caoutchouc mousse, du boyau de caoutchouc, du tapis ou des serviettes. Avant de partir, vérifiez la solidité du support en le secouant. Il n'est pas recommandé d'utiliser des cordes neuves, c'est-à-dire non étirées, pour attacher la planche; même les cordes usagées

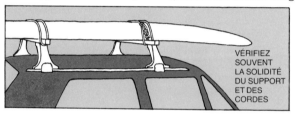

VÉRIFIEZ
SOUVENT
LA SOLIDITÉ
DU SUPPORT
ET DES
CORDES

ont parfois tendance à s'allonger davantage. Nous suggérons, lorsque vous partez pour un long voyage, d'arrêter au bout d'une demi-heure pour vérifier si tout est bien en place. Et n'oubliez pas que la qualité se paie . . .

Les caprices du temps

danger	indices	quoi faire
ligne de grains 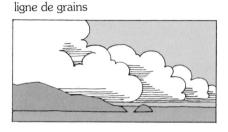	• cumulo-nimbus très hauts qui s'approchent rapidement. Porteurs de vents violents, de pluie et d'éclairs. • de courte durée. • chute rapide de la pression barométrique. • calme avant la tempête.	• dirigez-vous vers la rive immédiatement. Si vous n'avez pas le temps, abaissez le gréement et accroupissez-vous. • ne quittez jamais votre planche.
orages 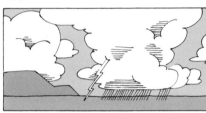	• cumulo-nimbus épais et noirs par la rencontre d'une haute et d'une basse pression.	• mêmes précautions que dans le cas de la ligne de grains.
eau froide 	• facteur saisonnier ou géographique, par exemple : un lac alimenté par la fonte d'un glacier.	• port de vêtements adéquats. • ne naviguez que dans des conditions climatiques auxquelles vous êtes déjà habitué. • surveillez l'hypothermie.
brise de terre 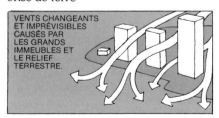	• eau calme près de la rive; rafales changeantes, plaques foncées sur l'eau et moutons au large.	• ce calme trompeur peut attirer un débutant loin de la rive, où il devra affronter des vents plus forts. • amarrez la planche à une ligne attachée à une bouée pour ne pas trop vous éloigner.

Perturbations causées par le relief terrestre et dangers relatifs au plan d'eau

danger	indices	quoi faire
marées et forts courants 	• vagues insolites. • débris qui dérivent dans d'autres directions que celle du vent.	• il faut éviter de naviguer par vent très léger sur un plan d'eau perturbé par de forts courants de marée.
rochers, hauts-fonds, récifs 	• bouées indicatrices, brisants, vagues insolites, ombres dans l'eau.	• consultez les cartes marines locales. • soyez tout yeux tout oreilles!
troncs d'arbres submergés 	• tache sombre juste sous la surface agitée de tourbillons lorsque l'objet fend l'eau.	• soyez aux aguêts, surtout dans les régions d'abattage de bois ou sur les rivières de flottage.
personnes 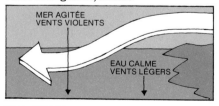	• drapeau international indiquant la présence d'adeptes de tuba et de plongée sous-marine.	• il faut apprendre à reconnaître ce drapeau. • restez hors de la zone de plongée.
vents changeants, rafales	• plan d'eau étroit. • baie. • plan d'eau situé derrière une montagne, une falaise, de grands immeubles.	• il faut être prudent. • s'adresse aux véliplanchistes habitués à naviguer dans de telles conditions.

Navigation sur un plan d'eau achalandé

Pour assurer la sécurité de tous, il est recommandé de naviguer dans un lieu peu fréquenté, c'est-à-dire loin des plages et des ports de plaisance. Mais lorsque vous n'avez pas le choix et que vous devez partir d'un endroit plein d'obstacles ou y rentrer, avancez très lentement et prudemment. Vous pourrez réduire votre vitesse en laissant fasseyer la voile et en signalant votre présence aux nageurs. Toutefois, si vous prévoyez une collision, arrêtez la planche avec la méthode de l'arrêt d'urgence. Vous pouvez choisir de laisser tomber la voile, mais l'arrêt n'est pas instantané et vous risquez d'assommer quelqu'un!

Récapitulation

Voici quelques conseils sur les choses à faire et sur celles à ne pas faire, dans certains cas.

Ne quittez jamais votre planche!
Dites-vous bien que si vous ne pouvez regagner la rive à voile, vous pourrez toujours vous y rendre en ramant. En effet, votre planche, sans sa voile, s'avère un flotteur facile à manoeuvrer et sécuritaire. Vous rentrerez ainsi plus rapidement, tout en étant plus au sec et plus visible que si vous décidiez de revenir à la nage.

En principe, la planche et le gréement ne devraient jamais se séparer parce qu'ils sont reliés avec la ligne de sécurité. Toutefois, si cela arrivait, rattrapez d'abord la planche, car elle dérive plus vite que le gréement. Si la situation est critique et que le gréement gêne manifestement votre remorquage, il vaut mieux l'abandonner. Après tout, seuls les véliplanchistes sont irremplaçables!

Le gros bon sens vous dit:
- de vous habiller selon le temps qu'il fait;
- de porter un VFI;

- de choisir un lieu où vous pourrez pratiquer votre sport en toute sécurité. Avant de sortir, vous devez vous poser les questions suivantes :
  - Y a-t-il des obstacles ou des objets dangereux sous l'eau, tels que des rochers, du corail, du verre, etc?
  - D'où vient le vent et où va-t-il me pousser?
  - La circulation commerciale est-elle trop intense?
  - Est-ce que le temps va changer dans les prochaines heures? Comment puis-je le savoir? L'endroit est-il sécuritaire?
- d'utiliser une ligne de sécurité;
- d'emporter du matériel de secours;
- de naviguer en équipe;
- de laisser votre programme de navigation de la journée à quelqu'un;
- de ne pas aller au-dessus de vos forces et de vos capacités;
- de ne pas naviguer le soir;
- d'être toujours aux aguêts.

Chapitre 4

Perfectionnement des techniques et approfondissement des connaissances théoriques

Il vous arrivera d'avoir à affronter des vents plus violents que ceux que vous avez connus jusqu'à présent. C'est pourquoi nous avons consacré le chapitre à de nouvelles techniques et au perfectionnement de celles que vous avez déjà acquises pour que vous soyez en mesure de naviguer avec de tels vents. Nous parlerons en outre de voiles et de gréements spéciaux, du réglage de la voile, de théorie et de la façon de réagir aux rafales.

D'abord, il faut apprendre à «anticiper», c'est-à-dire à prévoir ce qui va arriver et à se préparer en conséquence. Vous savez que pour faire lofer la planche, il faut incliner le gréement vers l'arrière. Mais de combien de degrés faut-il pencher ce dernier pour faire tourner l'embarcation? Ça, c'est plus difficile à savoir. Résultat : vous tombez à l'eau ou la planche pivote sans que vous ayez le temps de faire quoi que ce soit. Avec le temps, vous apprendrez à connaître votre embarcation et à réagir en douceur.

Pour vous perfectionner, il vous faut donc sentir le vent et en connaître l'effet sur la voile et la planche.

Voici quelques exercices destinés à améliorer votre perception du vent, de la planche et de la voile, qui vous feront travailler dans trois domaines principaux, soit l'équilibre, la direction - ou si vous préférez la conduite - ainsi que la propulsion, c'est-à-dire le réglage de la voile.

L'équilibre—Il vous faut en arriver à vous tenir sur la planche sans dépendre totalement du gréement et vice versa. Pour placer le gréement en équilibre presque parfait sur lui-même, repérez sur la bôme l'endroit qui vous permet de le tenir avec un ou deux doigts.

Il va sans dire que cet équilibre réciproque vous donne plus d'aisance pour manoeuvrer la planche ou réagir aux rafales.

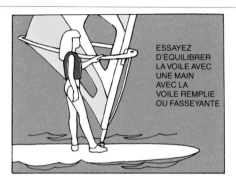

ESSAYEZ
D'ÉQUILIBRER
LA VOILE AVEC
UNE MAIN
AVEC LA
VOILE REMPLIE
OU FASSEYANTE

La direction—Les pieds peuvent contribuer à faire pivoter la planche. Ainsi, pour lofer plus rapidement, appuyez le pied arrière sur le côté sous le vent de la planche.

Pour abattre, pressez le pied avant sur le côté au vent de l'embarcation.

Nous vous suggérons d'effectuer une dizaine, ou même une vingtaine, de virements de bord ou d'empannages successifs afin de posséder ces deux techniques.

SERVEZ-VOUS
DE LA FORME
DE LA COQUE
POUR LOFER
OU ABATTRE

APPUYEZ
UN PIED
SUR LE
CÔTÉ AU
VENT POUR
FAIRE
PIVOTER LA
PLANCHE
SOUS
LE VENT
PLUS VITE.

La propulsion ou le réglage de la voile—Il faut apprendre à se servir de sa voile comme d'un accélérateur de voiture pour accélérer, ralentir et même arrêter la planche.

La vitesse d'une planche à voile est proportionnelle à la surface de voilure exposée au vent. Ainsi, pour avancer lentement, laissez fasseyer une partie de la voile; pour aller plus vite, réglez parfaitement la voile pour obtenir le meilleur écoulement de vent possible sur sa surface. Pour arrêter, effectuez l'arrêt d'urgence que vous aurez tant répété que vous pourrez l'exécuter les yeux fermés.

Pour vous améliorer davantage, nous vous suggérons de jouer à «suivre le guide». C'est un jeu amusant qui consiste à suivre un copain en planche à voile. Celui-ci ralentit, accélère, arrête, change de direction sans que vous ayez le droit de le dépasser, ce qui vous oblige à ajuster votre vitesse et votre allure sur la sienne. En outre, ce jeu vous permet de corriger mutuellement vos erreurs et de comparer la façon dont vous exécutez les diverses techniques.

Vous devrez d'abord travailler chaque domaine séparément avant de les combiner afin d'être capable d'exécuter avec aisance des manoeuvres sans perdre l'équilibre, et de régler la voile tout en conduisant la planche.

On ne saurait bien naviguer sans être capable de s'orienter et de savoir se tirer tout seul d'un mauvais pas. C'est pourquoi il est important de sentir le vent et d'être capable de visualiser mentalement les allures, en s'efforçant de prévoir ce qui arrive, quand et comment. Anticiper à terre aide à anticiper sur l'eau. Pour voir si vous comprenez bien, choisissez un point sur la côte et essayez de penser à ce qu'il faudrait faire pour vous y rendre et en revenir. D'autre part, vous devez

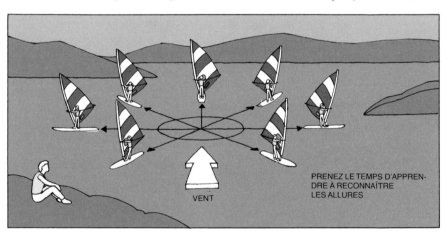

VENT

PRENEZ LE TEMPS D'APPREN-
DRE À RECONNAÎTRE
LES ALLURES

être en mesure d'effectuer au moins deux techniques d'auto-sauvetage, dont la méthode classique.

Réglage du gréement en fonction de la forme de la voile

Savoir régler sa voile pour obtenir un rendement maximum de sa planche n'est pas l'apanage des as de la régate. Vous aussi pouvez en profiter pour mieux naviguer par tous les temps.

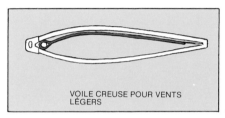

VOILE CREUSE POUR VENTS LÉGERS

VOILE PLUS PLATE POUR VENTS DE MOYENNE À FORTE INTENSITÉ

Pour changer la forme de la voile, servez-vous de la bosse d'amure et de la ligne arrière. Par petit temps, il est préférable d'avoir une voile assez creuse que vous aplatirez au fur et à mesure que le vent s'élève. (Consultez la section «Le gréement» pour l'ajustement de la voile par vent léger.) Par temps moyen, halez les deux cordages pour rendre la voile plate. Il faut veiller à tendre fortement la voile avant le départ afin qu'elle prenne la forme adéquate lorsque vous vous mettez à avancer.

Navigation par vents plus forts

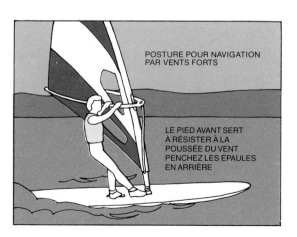

POSTURE POUR NAVIGATION PAR VENTS FORTS

LE PIED AVANT SERT À RÉSISTER À LA POUSSÉE DU VENT PENCHEZ LES ÉPAULES EN ARRIÈRE

Ce genre de navigation ne diffère pas vraiment de la navigation par petit temps si ce n'est que tout arrive un peu plus vite et avec plus de force, ce qui, par conséquent, exige des mouvements plus précis et plus fermes. Ainsi, vous devez placer la planche «exactement» en travers du vent. Puis, inclinez «fermement» le mât du côté au vent de la planche - voire un peu plus que d'habitude - en tirant le wishbone avec la main arrière d'une manière énergique.

Pour résister à l'impulsion du vent contre la voile, placez votre pied avant derrière l'emplanture du mât et poussez avec la jambe tendue. Vos mains et vos jambes sont un peu plus écartées que lorsque vous naviguez par petit temps.

Problèmes habituels
1. «J'ai de la difficulté à manier ma voile.»
   Cela signifie peut-être qu'elle est trop grande pour vous.

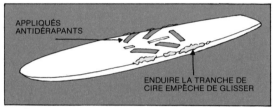

APPLIQUÉS ANTIDÉRAPANTS

ENDUIRE LA TRANCHE DE CIRE EMPÊCHE DE GLISSER

Pourquoi ne pas essayer une voile marginale ou une voile tempête? Par ailleurs, la voile est-elle suffisamment tendue pour réagir à vos mouvements? Assurez-vous qu'elle ne poche pas au-dessus du wishbone.
2. «Mes pieds glissent.»
   Nous vous recommandons, pour remédier à ce problème, d'enduire votre planche de cire pour planches de surf ou d'y mettre des appliqués antidérapants. Des souliers de course ou de bottillons feront aussi l'affaire.
3. «Je me retrouve souvent dans l'eau ou poussé en avant.»
   Vous devez surveiller l'arrivée des rafales et le changement de la direction du vent, pour ainsi vous préparer à ajuster la voile en conséquence. (Voir la section suivante.)

Comment réagir aux rafales

Pour beaucoup de gens, le vent est une force mystérieuse quelque peu imprévisible. Or, il n'en est rien. Ainsi, lorsque vous observez le plan d'eau, en regardant vers le vent, vous remarquez que sa surface est parsemée de taches sombres et parcourue de rides provenant de diverses directions. Ces taches sombres apparemment immobiles, ou mobiles, ce sont les risées et les rafales. Il est donc important que vous soyez capable d'interpréter la surface de l'eau afin de vous préparer à affronter la nouvelle poussée du vent sur la voile.

Les voiles spéciales

Toute une gamme de voiles s'offre au véliplanchiste débutant.
Voici les modèles les plus courants.

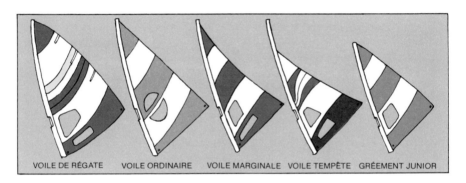

VOILE DE RÉGATE   VOILE ORDINAIRE   VOILE MARGINALE   VOILE TEMPÊTE   GRÉEMENT JUNIOR

Pour apprécier le sport de la planche à voile à sa juste valeur,
il faut savoir tirer profit de chaque type de voile. Ainsi, la voile
marginale et la voile tempête sont celles qui conviennent le
mieux au début, à cause de leur légèreté et de leur
maniabilité.

Nouveau venu sur le marché, le gréement junior, avec son mât et son wishbone plus courts que ceux d'un gréement ordinaire et une voile proportionnée, est conçu pour les personnes menues.

La voile marginale et la voile tempête s'avèrent utiles par temps venteux, où une voile ordinaire serait trop difficile à manier.

Théorie

Plus vous devenez habile en planche à voile, plus vous avez besoin d'approfondir vos connaissances théoriques afin de pouvoir perfectionner vos techniques et comprendre pourquoi certaines sont plus efficaces que d'autres.

Ainsi, il y a deux forces qui agissent sur la voile et la planche : le vent et l'eau. Voyons comment elles fonctionnent en termes plus théoriques.

Le centre de voilure (CV) : c'est la résultante de la force du vent sur la voile, que vous pouvez trouver mathématiquement en traçant une ligne qui part de chaque point de la voile jusqu'au milieu du côté opposé. Pratiquement, vous pouvez déterminer le CV en maniant le wishbone.

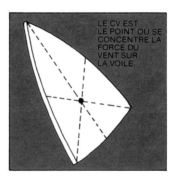

LE CV EST LE POINT OU SE CONCENTRE LA FORCE DU VENT SUR LA VOILE

Le centre de dérive (CD) : c'est la résultante des forces de résistance à l'eau qu'exercent la coque, la dérive et l'aileron Le CD se trouve habituellement sur la dérive.

Lorsque ces deux points sont alignés, la planche maintient son cap. Dès que vous inclinez le gréement vers l'avant ou vers l'arrière, ces forces se trouvent décalées et font pivoter la planche. Lorsque la voile fasseye, le CV recule et fait lofer la planche sans que vous ayez incliné le gréement vers l'arrière. Ceci s'explique par le fait que le CV n'est calculé que sur la partie de la voile où agit le vent. Donc, si le bord avant de la voile fasseye, la planche lofe. Vous savez maintenant pourquoi votre planche tournait parfois au vent sans que vous ayez fait quoi que ce soit.

Les règles de route

Par rapport aux véhicules terrestres, les bateaux jouissent d'une grande liberté de déplacement sur l'eau, où il n'y a ni feux de circulation ni lignes. Aussi la circulation dans un port de plaisance achalandé semblera-t-elle complètement anarchique voire dangereuse au débutant. Mais pourquoi n'y-a-t-il pas davantage de collisions? Parce que les bateaux obéissent à certaines «règles de route» élémentaires.

Nous vous recommandons de les apprendre et de les appliquer lorsque vous rencontrerez une autre embarcation. «Avoir priorité» signifie que le bateau maintient sa route pendant que l'autre s'en écarte.

1. Un voilier naviguant sur tribord amures a priorité sur un autre voilier venant sur bâbord amures.
2. Le voilier du côté sous le vent a priorité sur le voilier du côté au vent.
3. Un voilier rattrapant doit s'écarter de la route du voilier qu'il dépasse.
4. Un voilier en train d'effectuer un virement de bord ou un empannage doit s'écarter de la route du voilier qui navigue sur un bord.
5. Lorsque les deux voiliers virent de bord ou empannent en même temps, celui qui se trouve à bâbord de l'autre doit s'écarter de la route.
6. Un voilier qui avance doit s'écarter d'un bateau à l'ancre.
7. Les voiliers ont priorité sur les bateaux à moteur.
8. Les gros bâtiments commerciaux ont priorité sur toute autre embarcation.

La politesse

Si les règles de route ont été établies pour guider les marins, il existe cependant un code de politesse non écrit auquel se conforment la plupart des plaisanciers.

Parce que nous semblons toujours être sur le point de tomber, les autres plaisanciers nous donnent en général la priorité.

Lorsque deux voiliers se rencontrent, les marins s'observent pour déterminer où ils se croiseront, en fonction de leur vitesse et de leur allure respective. S'ils prévoient une collision, l'un d'eux changera de cap d'avance pour indiquer à l'autre qu'il s'écarte de sa route. Ceci devrait s'appliquer également aux planches à voile. Ainsi, lorsque vous anticipez une collision, laissez fasseyer votre voile pendant quelques secondes en regardant l'autre véliplanchiste, pour lui faire comprendre que vous le laissez passer. Il est très important de regarder la personne, sans quoi elle aussi essaiera de changer de route, de sorte que vous vous frapperez... après avoir zigzagué!

Il est généralement plus sécuritaire de passer derrière un bateau plus gros que d'essayer de lui couper le chemin. Dans la plupart des cas, c'est le plus petit des deux bateaux, en raison de sa plus grande manoeuvrabilité, qui change de route.

Un petit conseil : quand vous rencontrez un gros bateau, n'essayez pas d'appliquer les règles de route . . . éloignez-vous !

Il est évident aussi que vous ne devez pas traverser un groupe de voiliers en pleine régate.

Lorsque vous naviguez dans une zone achalandée, il vaut mieux garder votre voile relevée et ce, même si elle fasseye, afin d'être vu des autres plaisanciers.

Les adeptes de la voile sont reconnus pour leur politesse à l'égard des plaisanciers et leur désir de naviguer de façon sécuritaire. Faisons en sorte de continuer la tradition !

Mémo

Chapitre 5

Organisation et gestion de la voile au Canada

Au Canada, la voile est régie par l'autorité nationale en matière de voile qui porte le nom de «Association canadienne de yachting», l'ACY.

L'ACY est constituée :
a) de fédérations provinciales et régionales;
b) d'associations dites «de séries» (470, laser, etc);
c) de clubs nautiques affiliés;
d) de membres individuels.

L'ACY voit à l'élaboration, à la gestion et à la coordination de la compétition, de la formation ainsi que de la plaisance, à l'échelle nationale.

Son siège social est à Ottawa. Son équipe salariée à temps complet se compose du directeur général, du directeur technique et du personnel de soutien.

Un conseil d'administration est élu chaque année par les membres. Il se compose: du président, du vice-président «Administration», du vice-président «Formation», du vice-président «Finance», du vice-président «Relations publiques», du vice-président «Équipe nationale», du vice-président «Compétition», de l'ancien président et des dix vice-présidents provinciaux.

L'ACY est chargée des relations et des négociations avec les bureaux du gouvernement fédéral.

L'ACY délègue toutes les décisions d'intérêt régional aux fédérations provinciales.

Chaque province a sa propre fédération de voile dont le rôle est de gérer les affaires de l'ACY au niveau provincial ou régional.

Tous les membres paient une cotisation à l'ACY, qui en remet ensuite la moitié aux fédérations provinciales.

Le véritable pouvoir de l'ACY réside dans ses fédérations qui, dans la mesure de leurs moyens, maintiennent un contact avec les membres et leur offrent des programmes complets de formation, de compétition et de plaisance.

Voici la liste partielle des fonctions cumulées par l'ACY et les fédérations provinciales de voile :

- Administration générale de la voile au niveau national
- Administration générale de la voile à l'échelle provinciale
- Préparation et présentation de dossiers de demandes financières pour la réalisation de divers programmes aux bureaux fédéraux et provinciaux
- Élaboration des programmes
- Élaboration et gestion du programme de formation et de certification des instructeurs
- Élaboration et gestion des normes de compétence en voile
- Création et gestion d'écoles de voile provinciales et fédérales
- Création et gestion d'écoles de voile mobiles
- Élaboration et gestion de séminaires sur la voile
- Création et gestion de cours sur l'organisation de compétitions
- Coordination des associations de séries
- Sélection des séries de niveau national
- Coordination des championnats junior
- Relations avec la «North American Yacht Racing Union», l'«International Yacht Racing Union» et l'«Association internationale des écoles de voile»
- Préparation de manuels et de documentation informative
- Élaboration et gestion des règlements de compétition de l'ACY
- Arbitrage
- Publication de la «Revue canadienne de voile»
- Communication avec les membres

Infrastructures régionales pour la planche à voile

L'importance des installations conçues à l'intention des véliplanchistes varie beaucoup d'une région à l'autre. Ainsi, la rareté des infrastructures dans certains endroits s'explique par le fait que plusieurs véliplanchistes préfèrent mettre leur planche à l'eau où cela leur convient. Certains sites fournissent des supports pour déposer la planche et la voile temporairement, c'est-à-dire pour une journée, et ont parfois des zones de mise à l'eau séparées des baigneurs, pour éviter les accidents.

Certains clubs nautiques mettent à la disposition de ceux qui ne peuvent se déplacer aussi facilement des espaces de rangement pour leur matériel. Il y a aussi les clubs de planche à voile qui, en plus de fournir des installations et parfois de l'équipement pour ceux qui n'en ont pas, constituent le lieu de rencontre par excellence pour les adeptes de ce sport.

Par ailleurs, la plupart des écoles de planche à voile louent de l'équipement. Pour leur part, les écoles mobiles provinciales, qui sillonnent la province pour donner des cours, possèdent leurs propres planches.

Si vous voulez obtenir des informations supplémentaires sur les infrastructures locales pour la planche à voile, vous pouvez appeler la fédération de voile, l'association de série ou l'école de planche à voile de votre région.

Chapitre 6

À l'instar des voiliers, il existe une grande variété de planches
à voile dont la forme et les dimensions varient selon le style de
navigation dans certaines conditions de vent et de mer.

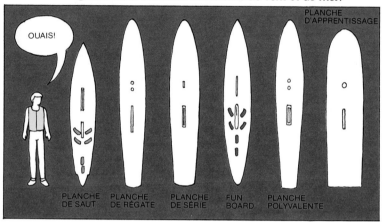

La navigation dans les vagues et la planche de saut

La planche de saut est une petite embarcation d'environ deux
à trois mètres qu'on utilise pour naviguer dans les vagues.
Planche très spécialisée et appréciée surtout par les véliplanchistes chevronnés, elle est parfois si petite qu'on ne peut s'y
tenir en équilibre lorsqu'elle n'avance pas.

La planche de régate

La planche de régate de classe ouverte division 2 est conçue
pour aller très vite, au près. Toutefois, la forme de sa coque et
sa carène à bouchains ronds la rendent instable et facile à
renverser. De plus, certains modèles sont particulièrement
fragiles, parce que leur intérieur est vide.

La planche monotype dite «de série»

Cette planche est sans aucun doute le modèle le plus
répandu. Stable et assez rapide, elle est en tous points iden-
tique à une autre de la même série, d'où le nom «monotype
de série». On l'appelle aussi parfois «planche polyvalente»
parce qu'elle peut être utilisée par tous, que ce soit pour l'apprentissage, la régate, la plaisance, le slalom ou le style libre,
par n'importe quel temps.

Le fun board

Cette planche réunit les caractéristiques d'une planche de série et d'une planche de saut. En effet, elle est assez grosse pour la navigation par vent léger tout en comportant des cale-pieds pour les vents plus forts et le saut de vagues.

La planche polyvalente

C'est une embarcation qui ressemble assez à la planche de série en ce qui concerne ses multiples usages par n'importe quel temps, à la différence que ce n'est pas un monotype. Par conséquent, lorsque vous voudrez participer à une régate, vous ne pourrez l'inscrire dans la même catégorie que la planche de série, mais plutôt dans la classe ouverte division 1.

La planche d'apprentissage

Utilisée principalement dans les écoles de planche à voile, cette embarcation est plus large et plus stable qu'une planche ordinaire pour faciliter l'apprentissage de l'équilibre sur l'eau. Sa voile est en général plus petite qu'une voile normale.

Vous possédez à fond les principales techniques de navigation. Reste à déterminer le style de navigation que vous voulez pratiquer.

Si vous voulez acheter une planche, nous vous suggérons d'en essayer différents modèles afin de trouver celui qui vous convient le mieux. Il faut aussi la choisir en fonction des conditions de vent et de mer de votre plan d'eau. Celui-ci est-il venteux ou protégé du vent? L'eau y est-elle calme ou agitée?

Le genre de navigation entre aussi en ligne de compte. N'oublions pas que si certaines planches sont polyvalentes; d'autres, par contre, sont conçues pour un usage spécifique.

Les meilleurs conseillers sur le choix d'une planche sont souvent les véliplanchistes eux-mêmes et les instructeurs de planche à voile qui ne se feront par prier pour parler de leur dada. Les magazines de planche à voile constituent aussi une bonne source d'information en plus de contenir des articles intéressants sur tous les aspects de ce sport.

La régate

Divertissement populaire de fin de semaine, la régate est une activité bien organisée au Canada. Vous aurez même parfois le choix entre quelques-unes. La régate pour planches de séries est de loin la plus courue. Les associations de série Windsurfer, Mistral et Dufour en organisent souvent.

D'autre part, les régates de classe ouverte permettent aux planches de toutes les catégories de participer, pourvu que leurs dimensions répondent à certaines normes.

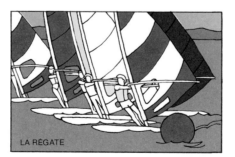

LA RÉGATE

Contrairement à ce que l'on pense, la régate est une activité amusante qui constitue une bonne occasion de raffiner ses techniques et de rencontrer d'autres mordus de planche à voile!

Le style libre

Le style libre, c'est-à-dire naviguer du côté sous le vent de la voile à l'intérieur du wishbone ou sur la tranche de l'embarcation, constitue un des aspects les plus divertissants de la planche à voile et peut être pratiqué n'importe où, par le débutant comme par l'expert.

LE STYLE LIBRE

Dans certaines régions, on organise des démonstrations de style libre la fin de semaine où un invité enseigne les différentes techniques. L'ACY est en train de préparer un livre sur le style libre de loisir et de compétition.

Le saut de vagues

Cet aspect du sport est surtout pratiqué par des véliplanchistes chevronnés dans les régions où dominent les vents forts et les grosses vagues.

Sport très spectaculaire, le saut de vagues compte un circuit professionnel en Europe, aux États-Unis, au Japon et en Australie.

LE SAUT DE VAGUES

Comment devenir instructeur

Vous êtes tout à fait conquis par la planche à voile au point de vouloir devenir instructeur. L'ACY a un programme pour vous! Si vous voulez obtenir des informations supplémentaires sur la tenue de séminaires, veuillez consulter votre fédération provinciale.

Niveau 1- Initiation

Le niveau Initiation, c'est la connaissance théorique et l'apprentissage de techniques de navigation élémentaires qui rendent le débutant apte à naviguer de façon sûre et compétente sous surveillance.

Le véliplanchiste sera en mesure de démontrer les connaissances suivantes par un vent de force 2, c'est-à-dire de 4 à 6 noeuds.

Démonstration des connaissances à terre

Première partie : la sécurité

1. Endosser et attacher correctement un vêtement de flottaison individuel et dire à quelle occasion il faut le porter. Identifier un tel vêtement.
2. Décrire l'habillement requis pour naviguer
   a) par temps ensoleillé
   b) par temps froid
3. Démontrer correctement le signal de détresse international.
4. Décrire les dangers de la navigation par brise de terre.
5. Décrire deux méthodes d'autosauvetage.
6. Identifier les divers dangers d'une zone de navigation.

Deuxième partie : le matelotage

7. Identifier les parties suivantes d'une planche :

   a) planche
   b) dérive
   c) mât
   d) voile
   e) wishbone
   f) joint de cardan
   g) tire-veille

8. Énoncer les règles de route élémentaires et indiquer quel voilier a priorité dans les situations suivantes :

   a) bâbord-tribord
   b) au vent-sous le vent
   c) dépassement

9. Nommer au moins quatre moyens de déterminer l'origine du vent.

Sur l'eau

Troisième partie : les manoeuvres de départ et de retour
10. Démontrer une méthode de mise à l'eau de la planche à partir d'une plage et une façon de la sortir.

Quatrième partie : la navigation

11. Naviguer correctement en ligne droite sur toutes les allures :

   a) au près
   b) au vent de travers
   c) au grand largue
   d) au vent arrière

12. Effectuer des virements de bord et des empannages à l'aide du tire-veille.

13. Démontrer deux techniques d'autosauvetage
   a) avec la voile établie
   b) avec la voile roulée

Niveau 2- Perfectionnement
À la fin du cours Niveau 2-Perfectionnement, le véliplanchiste possèdera de solides connaissances sur la sécurité en planche à voile, la théorie, la terminologie, les types de voiles et le matelotage. Il sera, en outre, capable de naviguer sans surveillance, de façon sûre et compétente par un vent de force 3, c'est-à-dire de 10 à 12 noeuds.

Démonstration des connaissances à terre

Première partie : la sécurité
1. Nommer les caractéristiques d'un bon vêtement de flottaison individuel :

   a) adapté au poids et à la taille de l'utilisateur
   b) en bon état
   c) bien ajusté
   d) homologué par le ministère des Transports
   e) à harnais incorporé

2. Être capable :

    a) de définir l'hypothermie
    b) d'énumérer les signes de cette affection
    c) de décrire les premiers soins à donner à la victime
       après l'avoir sortie de l'eau
    d) de donner trois façons de minimiser les dangers de
       l'hypothermie

3. Énumérer les perturbations causées par le relief terrestre ainsi que les dangers relatifs au plan d'eau et dire ce qu'il faut faire pour s'en protéger.

4. Énumérer les dangers causés par les conditions atmosphériques et dire ce qu'il faut faire pour les éviter ou s'en protéger.

5. Donner :

    a) deux signaux de détresse autres que le signal
       international
    b) les avantages de la navigation en équipe

Deuxième partie : la terminologie

6. Identifier les parties suivantes d'une planche et en décrire l'utilité :

    a) planche
    b) mât
    c) voile
    d) wishbone
    e) tire-veille
    f) dérive et puits de dérive
    g) aileron
    h) ligne arrière
    i) bosse d'amure
    j) joint de cardan
    k) emplanture du mât
    l) côté bâbord/côté tribord
    m) base du pied de mât
    n) ligne avant
    o) anneau de remorquage
    p) ligne de sécurité
    q) latte

7. Identifier les parties suivantes d'une voile :

   a) envergure
   b) point d'écoute
   c) chute
   d) point d'amure
   e) têtière
   f) bordure
   g) goussets de latte
   h) fenêtre

8. Définir les termes suivants :

   a) virer de bord
   b) empanner
   c) naviguer au près
   d) bâbord amures
   e) tribord amures
   f) lofer
   g) abattre
   h) naviguer au largue
   i) naviguer vent arrière
   j) naviguer en fausse panne

Troisième partie : la théorie
9. Définir et identifier le centre de dérive (CD) et le centre de voilure (CV) sur une planche à voile.
10. Décrire comment l'inclinaison du gréement vers l'avant ou vers l'arrière, qui déplace le CV, agit sur la direction d'une planche.

Quatrième partie : le réglage de la voile
11. Définir «écoulement du vent» et décrire l'effet des cordages suivants dans le réglage de la voile :

   a) la bosse d'amure
   b) la ligne arrière

Cinquième partie : le matelotage
12. Faire les noeuds suivants et dire à quoi ils servent :

    a) noeud de chaise
    b) noeud carré
    c) noeud en huit
    d) noeud de camionneur
    e) noeud de prusik

13. Avec l'aide de quelqu'un, plier la voile et la placer correctement dans son sac.

14. Décrire et si possible démontrer la façon correcte de ranger et d'entretenir une planche et son gréement.

15. Décrire comment on installe une planche et son gréement sur le toit d'une voiture.

16. Décrire deux méthodes de mise à l'eau et dire quand on peut les utiliser.

Sur l'eau

Sixième partie : la navigation
17. Démontrer deux méthodes de mise à l'eau

    a) planche et gréement séparés
    b) planche et gréement attachés ensemble

Les techniques suivantes doivent être démontrées avec la bonne posture et la voile correctement réglée.

18. Effectuer correctement un virement de bord et un empannage sans tomber.
19. Naviguer sur un parcours triangulaire ou quadrangulaire d'un kilomètre, en empruntant successivement le près, le largue et le vent arrière, tout en maintenant la voile bien réglée et sans tomber.
20. Prendre en remorque un véliplanchiste en détresse, au près, sur 100 mètres.
21. Effectuer un arrêt d'urgence

    a) en mettant la voile «à contre»
    b) en laissant tomber la voile

Mémo